プラスチックな女の子

Model Graphix presents
How to get along with Plastic-model Girls

フレームアームズ・ガール編

モデルグラフィックス編集部／編

大日本絵画

Contents; 目次

フレームアームズ・ガールのそもそものお話 …… 4

コトブキヤ『フレームアームズ・ガール』開発チーム INTERVIEW (2016年収録)…… 6

あれから月日は流れました……新作キットおさらいコーナー …… 10

フレームアームズ・ガール スティレット XF-3
（コトブキヤ ノンスケール）製作／がっとねろ …… 16

フレームアームズ・ガール バーゼラルド
（コトブキヤ ノンスケール フレームアームズ・ガール ゼルフィカール ST Ver.改造）
製作／きぐさん …… 22

アニメ『フレームアームズ・ガール』そのさじ加減の秘密！（2017年収録）
プロデューサー／杉山学 シリーズ構成／赤尾でこ
インタビュー・文／にゃるら、MG編集部 …… 28

フレームアームズ・ガール バーゼラルド（アニメ版）
（コトブキヤ ノンスケール フレームアームズ・ガール バーゼラルド改造）
製作／KU_MA …… 32

プラスチックな女の子。 …… 40

フレームアームズ・ガール 轟雷
（コトブキヤ ノンスケール） 製作／フクダカズヤ …… 42

FAガールズコレクション …… 46

フレームアームズ・ガール 厳鎚・双貌鬼
（コトブキヤ ノンスケール フレームアームズ・ガール アーキテクト改造）
製作／Guntie …… 50

ベストマッチを探せ!! フレームアームズ・ガール+スケールモデル
ミキシングビルド大喜利大会！ …… 56

ミキシングビルド大喜利大会完成編
フレームアームズ・ガール ウォーターバトラー轟雷
（コトブキヤ ノンスケール フレームアームズ・ガール 轟雷改造）
製作／kei28 …… 62

ミキシングビルド大喜利大会完成編
フレームアームズ・ガール небо дети・Яся（ニューボ ジェーチェ・ヤーシャ）
（コトブキヤ ノンスケール フレームアームズ・ガール フレズヴェルク改造）
製作／Guntie …… 66

ミキシングビルド大喜利大会完成編
フレームアームズ・ガール スティレット ミラージュ
（コトブキヤ ノンスケール フレームアームズ・ガール スティレット改造）
製作／ファジー …… 70

FAガールをドールとして楽しむ …… 74

FAガールのFashion check！ …… 76

100円で見つけた！ カワイイ小物♡ …… 78

FAガール マテリアで学ぶ ポージング講座
解説／白虎かなめ …… 82

フレームアームズ・ガール 斉天大聖ゴクーティア
（コトブキヤ ノンスケール フレームアームズ・ガール レティシア改造）
製作／ファジー …… 84

フレームアームズ・ガール フレズ忍 バジリスク
（コトブキヤ ノンスケール フレームアームズ・ガール フレズヴェルク Bikini Armor Ver.改造） 製作／ファジー …… 90

プラスチックな女の子

Model Graphix presents

How to get along with Plastic-model Girls

フレームアームズ・ガール編

フレームアームズ・ガール（以下FAガール）第1弾・轟雷が発売された2015年5月から早6年が経とうとしている。美少女プラモデルという概念は完全にジャンルとして定着し、各メーカーからさまざまな商品が出ているのはもちろん、当のコトブキヤからも数ブランドが立ち上がっている状態となっている。

もちろん、FAガール以前にも美少女をプラモデルにした商品は数多くあった。だがFAガールが新しかったのは「美少女のプラモデル」でなく「美少女アクションフィギュアのプラモデル」であった点だ。関節を動かし、かわいいポーズを取らせることができるという美少女アクションフィギュアの特徴が、プラモデルという加工性に優れた商品と合流。それまで以上に容易なカスタマイズを可能とし、「自分だけの美少女フィギュア」を表現しやすくなった。これは間違いなくFAガールが生み出した功績と言えるだろう。

本書には『月刊モデルグラフィックス』誌上にて'16年と'17年に行った同商品の巻頭特集の内容を再構築して収録。FAガール以降の美少女プラモデルシーン黎明期のノウハウを凝縮した。これらの技法は元号が変わった現在でももちろん役立つこと間違いなし。自分だけの美少女フィギュアを作り出すためのアイディアの一助としていただきたい。

※本書では基本的に雑誌掲載当時の記事表記に準じるようにしています。そのため、「本誌」＝『月刊モデルグラフィックス』の略となっています。また、インタビュー記事は『月刊モデルグラフィックス』2016年8月号、『月刊モデルグラフィックス』2017年10月号に収録されたものとなります。記事中にあるマテリアルやキットに関する表記は掲載当時のものになっているため、現在は販売が停止されていたり名称が変更になっていたり価格が改定されていたりする場合がありますのでご了承ください。

フレームアームズ・ガールのそもそもの話

アニメ『フレームアームズ・ガール』では、
物語をあくまで轟雷をはじめとするFAガールたちと
主人公・あおとの心の交流に絞っていたのでその詳しい素性などに
ついては最低限の説明で進められていた。
こちらではFAガールの源流である『フレームアームズ』など、
『フレームアームズ・ガール』に至る模型的な展開の流れを
ざっくりと解説していくぞ

フレームアームズ・ガール 轟雷 ← 美少女化 ← フレームアームズ 轟雷

FAガールの源泉 フレームアームズ

『フレームアームズ・ガール』のモチーフとなっているのが、コトブキヤが'09年より展開しているロボットプラモデルシリーズ、『フレームアームズ』だ。

名前に「フレーム」を冠しているとおり、その最大の特徴がシリーズ共通の素体フレーム「フレームアーキテクト」。全身の至る所に3㎜径の軸穴が設けられており、すべての製品はこの素体に装甲パーツや武装を取り付けることで完成される。

また、素体自体もブロックごとに分解・組み換えが可能で、腕や脚を延長したり、鳥脚のようにしたりと大きくプロポーションを変更することも可能。製品の組み立て説明書どおりに完成させることはもちろん、その仕様を利用してカスタマイズを行ない、自分だけのフレームアームズを作ることが推奨されているシリーズなのだ。第1弾の轟雷・スティレットを皮切りに、現在60種類以上がラインナップされている大型シリーズだ。■

▲全身のクリアーパーツや大型のウイングが豪奢な印象を受けるフレームアームズ「ヤクトファルクス」。こちらはToMo氏がメカデザインを担当。無骨な機体から華やかな機体まで、多様なフレームアームズが多くのメカデザイナーによって描かれている

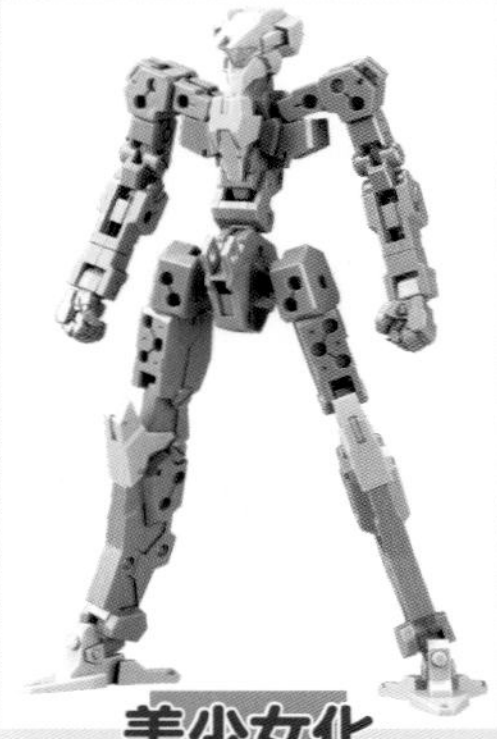

▶すべてのフレームアームズの基本となるのが、この「フレームアーキテクト」。身体中に無数のジョイントがあるのが見て取れるだろう。この素体そのものを美少女化したのが、フレームアームズ・ガールの「アーキテクト」だ

美少女化

B

A

▶FAガール「マテリア」はほかのFAガールと異なり、モチーフとなるフレームアームズが存在しない。彼女はフレームアームズ・ガールへの美少女化を手がけた島田フミカネ氏によって、「フレームアームズを美少女化していくにあたっての素体」としてデザインされているのだ。専用の武装を持たず、アニメ劇中でもアーキテクトとともにFAガールたちの始祖として扱われていたのはそのためだ

D

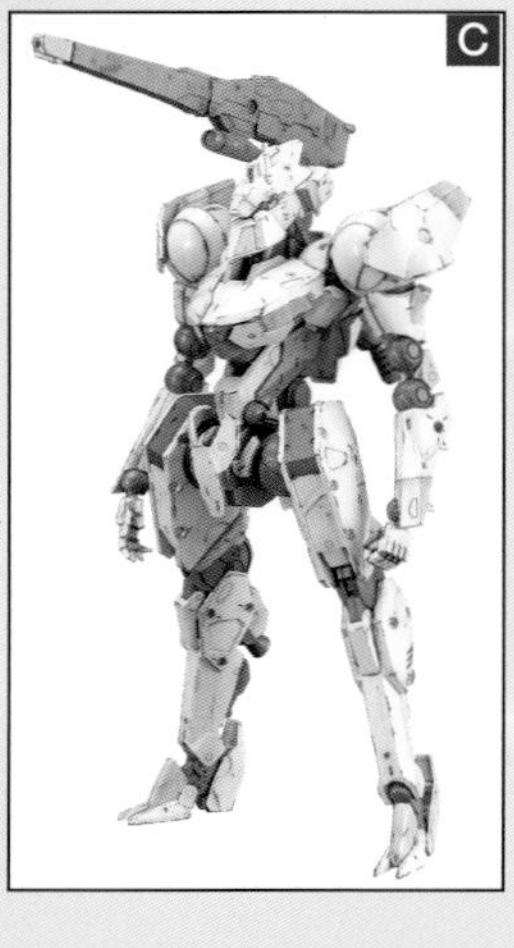

C

Aリアルロボット的なデザインである柳瀬敬之氏デザインの「カトラス」のような製品があるいっぽうで、恐竜のような姿のNAOKI氏デザインのフレームアームズ、「シュトラウス」Bも存在している。体躯のまったく異なるこの両者は同じフレームアーキテクトから組み立てられているのだ。CD新川洋司氏によるデザイン、'17年9月発売のフレームアームズ「白虎」(税込6380円)。こちらはその特徴的なデザインを再現するためにフレームアーキテクトを胴体と腰部にのみ使用している。ちなみにFAガールとしても発売予定

無限の武器庫
M.S.G
モデリングサポートグッズ

『フレームアームズ』『フレームアームズ・ガール』とは直接の系譜のシリーズではないが、関わりが深い『M.S.G』シリーズについても触れておこう。

もともとバーニアや丸モールドといったディテールアップパーツ、ポリキャップなどをラインナップしたアフターパーツシリーズであったが、じょじょにキャラクターモデルに使用可能な、独自デザインのマシンガンなどの武装パーツが登場。これらが人気を博していき、現在ではシリーズの中核を担うようになった。

武装パーツは'09年に『フレームアームズ』がスタートしてからは、さらにラインナップの充実度が加速。全長200㎜を超える大型武器や、別売りの「外部ジェネレーター」を併用することで電動ギミックを楽しめる武装がラインナップされた「ヘヴィウェポンユニット」、複数のメカが変形・合体し、フレームアームズやFAガールとも組み合わせ可能な「ギガンティックアームズ」など、もはやオプションパーツとはいえないほどの、とてつもないボリュームのアイテムも増えてきている。■

◀▼アニメ『フレームアームズ・ガール』第3話ではM.S.Gの「ヘヴィウェポンユニット」が大活躍。マテリア姉妹はグラインドサークルとビーストマスターソードを、スティレットはメガスラッシュエッジを、轟雷はリボルビングバスターキャノンを使用。ギミックを活かした大立ち回りを披露した

▶ギガンティックアームズの第一弾、「パワードガーディアン」は2台のビークルが変形合体してパワードスーツとなる。写真のとおり、FAガール轟雷を乗り込ませることが可能なビッグサイズだ

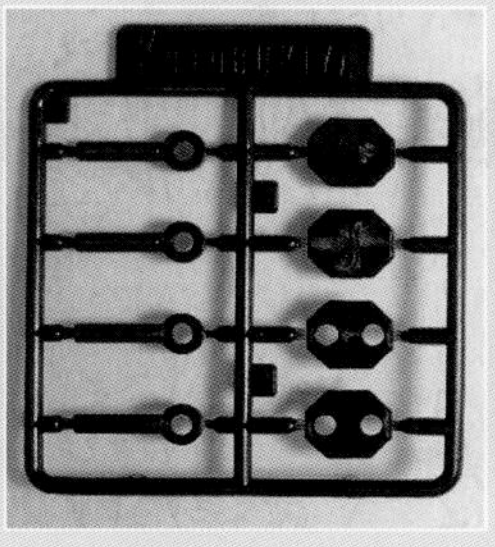

▲「メカニカルジョイント」はプラモデルの改造にはもちろん、ガレージキットの組み立てにもよく利用されていた便利なポリパーツ

▲初期からラインナップされ、今でも定番の「丸ノズル」。微妙にテーパーのついたフチが重宝する万能ディテールアップパーツ

美少女プラモデル新時代の火付け役!
フレームアームズ・ガール

'15年に第1弾の轟雷が発売され、瞬く間に人気を博したのが、本巻頭特集での主役『フレームアームズ・ガール』だ。

もともとは『フレームアームズ』でのメカデザインの多くを手がけた柳瀬敬之氏と親交が深い島田フミカネ氏が同人誌でフレームアームズを美少女化したものが発端となっている。

前身の『フレームアームズ』同様にカスタマイズ性の高さが特徴で、『フレームアームズ』と『M.S.G』というすでに膨大な製品数を誇っていた先行シリーズがそのままパーツの流用元として機能したこともあり、SNSや店頭でのコンテストでは多くの美麗なカスタマイズFAガールたちが、その完成度を日夜競い合っている。

また、これまでこうした美少女キャラクターのアクション性の高いフィギュア自体は多くあったが、プラスチック製かつ、組み立てキットというものはほとんど無く、その加工性の高さが熟練モデラーからも歓迎されたのだ。

過去、スタチュー的なものがほとんどであった美少女プラモデルだが、コトブキヤは『フレームアームズ・ガール』以前にも多くの美少女キャラクターを可動ギミックを備えたアクションプラモデルとして製品化してきた（このあたりはP7からのインタビュー記事もご参照されたし）。そうした製品群で得られたノウハウがふんだんに注ぎ込まれた『フレームアームズ・ガール』は、美少女プラモデルの新時代を開いた寵児と言えるだろう。■

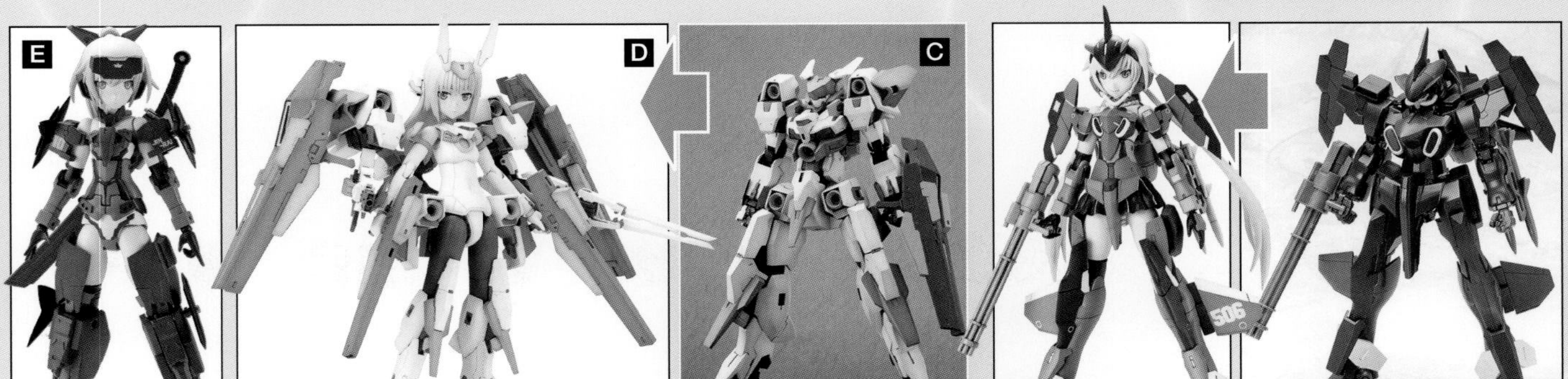

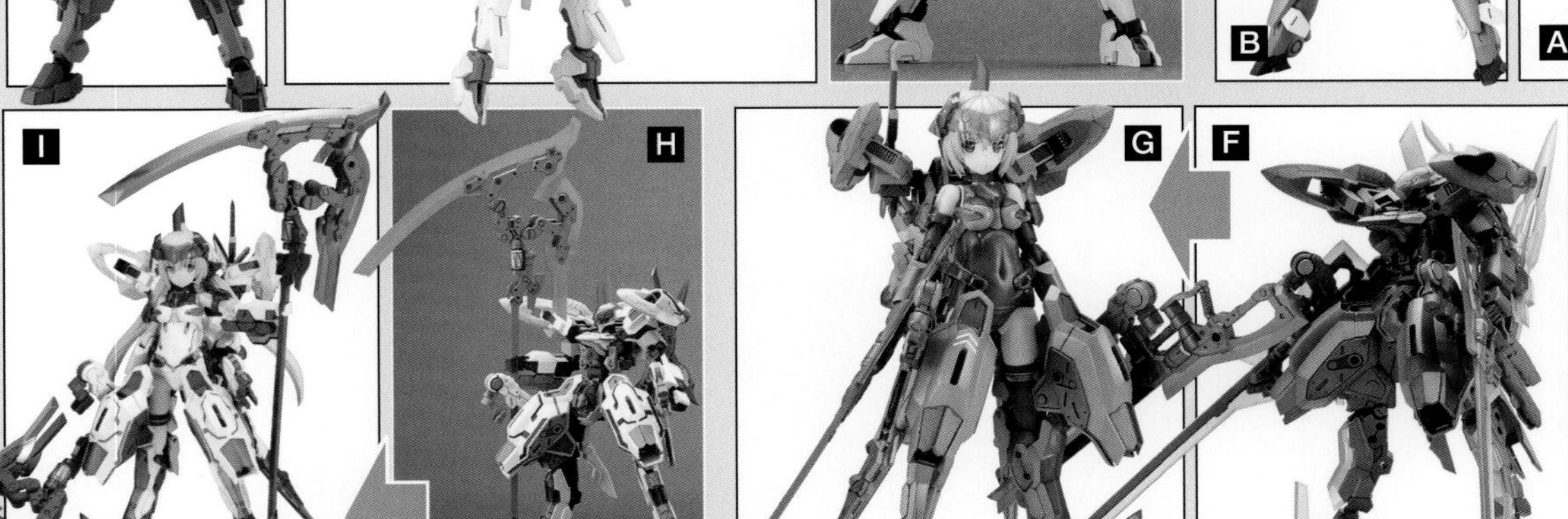

●モチーフになったフレームアームズとFAガールたちを見比べてみよう。ABスティレット、CDバーゼラルド、FGフレズヴェルク、HIがフレズヴェルク・アーテルだ。とくにバーゼラルドは元のフレームアームズから巧みにアレンジされたパーツ配置がおもしろい。Eの迅雷は少し特殊な立ち位置で、元ネタは島田フミカネ氏が個人的にフレームアームズ轟雷を改造して作った自作フレームアームズをモチーフにしている。また、アニメに登場した轟雷改も元となるフレームアームズはおらず、FAガール独自のバリエーションだ

プラスチックな女の子 フレームアームズ・ガール編

Model Graphix presents
How to get along with Plastic-model Girls

Model Graphix
2016年8月号
掲載

◆発売開始1年で売上累計20万個の脅威

――初めてフレームアームズ・ガール（以下ＦＡガール）を拝見したのは、'15年の全日本模型ホビーショーに展示されたものでした。突然だったのですごく驚きましたね。

野内秀彦（以下野内）　弊社は女の子系プラモデルの経験値がけっこうありまして、最初に手がけたのは別の企画者が担当した'09年のヴァルシオーネ[※1]です。社内的には5年は経っているカテゴリーという感覚でした。

――技術的につながりはあるんでしょうか。

青木将利（以下青木）　ヴァルシオーネから全部繋がってると思っていただいていいですね。当時プラモデルの技術で顔を作るのが難しかったので、ＰＶＣ製塗装済み完成品と同じ工程で頭部を作りました。するとＰＶＣ製の頭部では重く、プラモデルの関節では首がクタクタになってしまうという問題があったんです。その次のホイホイさん[※2]では完全にプラモデルとして成型し、そのあたりの問題はクリアできたのですが、やはり髪の毛の造形や顔の造形を再現するのは難しいというのがありまして……。そういった試行錯誤の繰り返しですね。

――これまでのコトブキヤのキットではデフォルメ体型のものも多かったので、一般的な美少女フィギュアと比べても遜色ない造型クオリティのＦＡガールに対しては「これがプラモデルなのか」という驚きがありました。

野内　作り方自体は美少女フィギュアと同じなので。原型完成の後の開発工程が違うのです。頑丈さではアクションフィギュアに敵いませんが、塗装やパーツの差し替えがしやすくなったと思います。

――すごく素材としていじりやすいですよね。独自にカスタマイズを楽しんでる方がすごい多くて。いままでのプラモデルは「どううまく作るか？」が評価軸としては大きかったんですけど、ＦＡガールはアイディア勝負みたいなところがあるのかなと。

野内　ホビーというより玩具に近い部分はありますね。組み合わせで遊ぶ。原作が製品そのものなので。

――フレームアームズ（以下ＦＡ）自体そうですよね。

野内　作品がほぼ商品に紐付いているので、それをどう遊ぶかという話ですよね。アニメも漫画の原作もないので、遊び方にも完全な正解というものがないんですよね。自由にやってもらいたいですね。

――こういう大きさのパートナーというか、お人形遊び的に楽しむ方もいますし。

野内　1／12ドールや『武装神姫』[※3]等がすでにありましたので、そういった層の需要も見込んでいます。企画当初は、もともと弊社のロボットものであるＦＡのお客様に意識してそのままお買い上げいただけるように作りましたが、結果としては既存のＦＡのお客様の数を上回る量をお買い上げ頂きました。つまりそれは新規のお客様ということになります。正直想定以上ですね

――以前「ぶっちゃけどのくらい売れてるんですか？」とお伺いしたら、従来のＦＡ製品の5倍くらい出荷してもすぐなくなってしまったと聞きました。

青木　轟雷が３万２０００個出荷ですね。初回はそこで止めました。その後は再生産を複数回しています。プラモデルですので。

――ＦＡガールの売れ行きは本当にすごくて、Ａｍａｚｏｎの'15年度プラモデルランキングでも、3位にスティレットが入っていましたね。

野内　普通のロボットものですと、まず第1弾として主人公機が売れて、二番手は売上がその8割から5割と、右肩下がりなのが普通なのですね。今回もその流れだと思っていたら、スティレットは４万５０００個くらいでした。第2弾で増えたのは初めてですね。上限なく受注をしてしまったので、開発からアウトがかかって。

青木　工場のキャパシティを超えた生産数になってしまいましたので「もう生産できない！」と言わざるを得なくなりまして。

野内　スティレットの発売が1ヵ月延期してしまった原因はそれです。第3弾のマテリアからは月に生産可能な数を決めて受注の上限としました。多分今月でシリーズ全体の売上総数20万個は超えているはずですね。５０００円くらいの商品なので、これ

フレームアームズ・ガールに連なる美少女プラモデルの系譜

コトブキヤ『フレームアームズ・ガール』開発チーム INTERVIEW

2016年6月　コトブキヤ本社にて収録
聞き手／モデルグラフィックス編集部
※本インタビューは2016年6月時点のものです

店頭では売り切れ続出、インターネット予約も数分で品切れ、Amazonの年間プラモデル売上げランキングでは3位に輝く……と、近年まれに見る大ヒット商品となっているFAガールシリーズ。FAというシリーズの母体となる製品群があるとはいえ、美少女のプラモデルという決してメジャーではないモチーフで、ここまでのスマッシュヒットを決めていることには驚きが隠せない。だがそんなFAガールも決してポッと出の製品ではなく、それに連なる多数の製品がある。こちらではFAガールの開発チームにお話をうかがいつつ、その歴史を紐解いていこう。

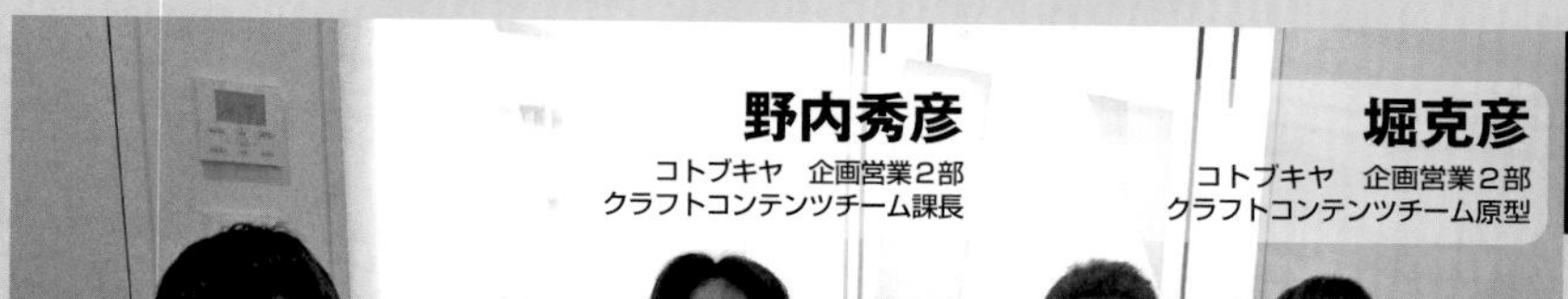

野内秀彦
コトブキヤ　企画営業2部
クラフトコンテンツチーム課長

堀克彦
コトブキヤ　企画営業2部
クラフトコンテンツチーム原型

青木将利
コトブキヤ　企画営業2部
クラフトコンテンツチーム係長

清水康智
コトブキヤ　企画営業2部
クラフトコンテンツチーム原型

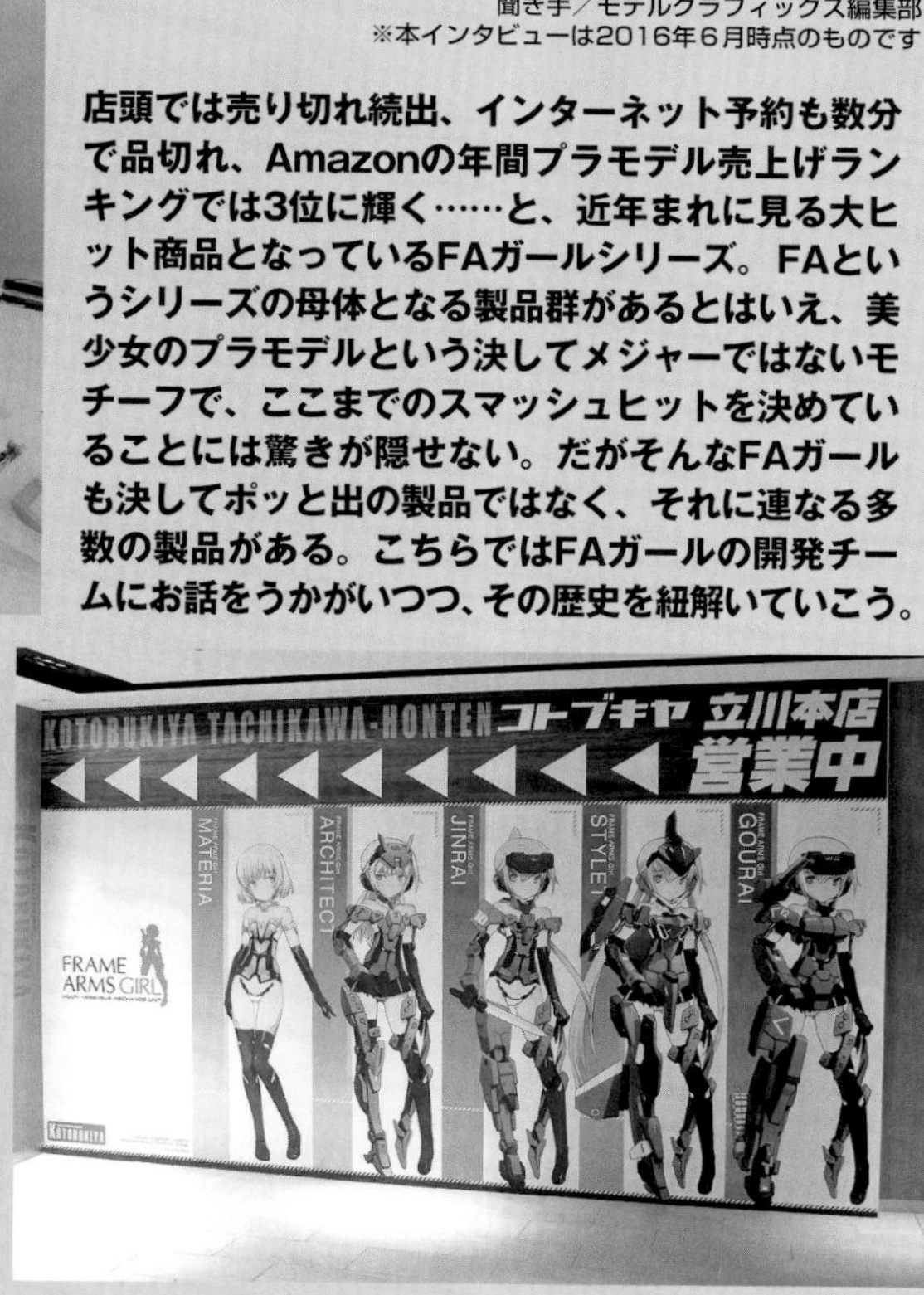

▶5月1日に装いも新たにオープンしたコトブキヤ立川本店。コトブキヤ本社ビル内にて営業中の同店2F店頭ではFAガールの巨大なパネルが設置されている

1 ヴァルシオーネ
TVゲーム『スーパーロボット大戦OG ORIGINAL GENERATIONS』シリーズに登場するロボット。コトブキヤが初めて手がけた「美少女プラモデル」となった製品だ

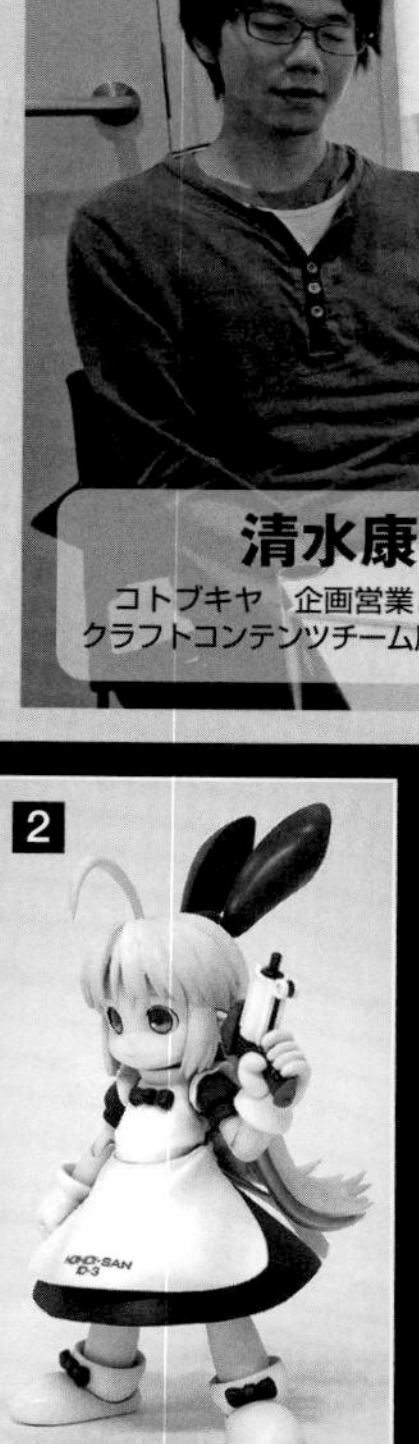

2 ホイホイさん
マンガ『一撃殺虫!! ホイホイさん LEGACY』よりコトブキヤがプラモデル化した製品

がもし1000円の商品だとしたら100万個を超える数字です。自社タイトルとしては、すごいねとしか言いようがないですね。

◆女の子という柔らかさへのこだわり

――過去の美少女プラモデルから、FAガールへとつながるまでの企画の経緯を教えていただけますでしょうか。

野内　ヴァルシオーネの発売が'09年の2月で、そのあとにホイホイさんをその年の9月発売。その後に企画のラインがふたつに分かれました。片方ではロックマンやイカ娘などを商品化しまして、もういっぽうで浅井真紀さん原型のレイキャシール[※4]を'11年の5月に発売しました。そのレイキャシールのお蔭でやっとこのサイズのリアル頭身美少女ものを始めたわけです。その後、伊藤霊一さんと弊社原型の糸山とでKOS・MOS[※5]を作りました。そうしているうちにセガさんと浅井さんと弊社とで『PSO2』[※6]の企画が立ち上がったのですが、FAガールの企画が立ちあがったのもその頃です。

――朱鬼姫と同時期くらいに企画がはじまったんですね。

野内　朱鬼姫が先で、その後FAガールが'14年の年始くらいに企画が始まりました。ただFAガールの絵自体は'09年にはありました。柳瀬[※7]さんの同人誌に島田[※8]さんが寄稿したものがありまして、非常に魅力的な絵だったのでいつか商品化したいと考えていました。KOS・MOS Ver.1が終わったあと、とくに企画が決まっていなかったことと、FA自体も5年を越えるシリーズとなったので、新シリーズとしてやってみようということになりました。島田さんと柳瀬さんにうかがったところご了解をいただけたので、そのままトントン拍子に進めたというカンジですね。FAガール轟雷の原型は清水なのですが……どうして担当になったのでしたっけ。

清水康智（以下清水）　たしか僕のやる予定だった担当のスケジュールが何もなくなったので、じゃあ時間が空いたのでやるか、みたいな。

堀克彦（以下堀）　それまでのKOS・MOSなどは、フィギュアチームに顔や髪の毛の造形に関して助言をもらったり、手を入れてもらったりなどしていたのですが、そのあとに清水が入ってきて……。彼はメカチームですけど個人的にフィギュアなども作っていて、それまでフィギュアチームに頼っていた部分がメカチームだけでもできてしまう、ということで清水に一本通して担当してもらっています。

清水　とはいえ、もちろんフィギュアチームにも意見を聞くことは多くあります。

野内　清水くんがはじめて原型担当したのはメタルギア REX[※9]が最初？

清水　それより前の『アーマード・コア』[※10]の武器ですね。

野内　『アーマード・コア4』の武器セットのときに外注でお願いして、そのあとREXの武装類、そのあとコトブキヤに引っ張ってきて、そのあと何をしていたのだっけ。

清水　入社してすぐの頃は塗装ばかりしていましたね。新人にはそういう流れがあって。人の作った原型を組み立ててみるとか、塗るときにこういうパーツ分割だったらありがたいとかを、そのときに学ぶのです。

堀　フィギュアチームは原型製作とフィニッシャーが部門として分かれてるのですが、メカチームのほうは比較的ひとりで最初から最後までやるという流れがあります。なのでだいたい新人の仕事は、原型の複製作業とか、その流れで完成品を作ったりなどですね。商業原型の分割の仕方も触って覚えられるのです。

――じゃあ清水さんは基本的にそれまでメカ系がメインだったけど、フレームアームズ・ガールから美少女をはじめたと……。そのわりに、と言ってはナンなんですが、すごいかわいいですよね！　顔の島田絵っぽさもすごいなと思って。

清水　がんばりました（笑）。

――はじめて手にしたときは太ももの食い込みがちゃんと表現されてるのがすごいなと思いました。可動するタイプのプラモデルでこうした肉感的な表現は非常に新鮮に感じましたね。

野内　そういうのはすでにKOS・MOSでノウハウがありました。できるだけフィギュアに近づける造形で、という意識があったんですね。

――ことさら造形が柔らかいのはマテリアですよね。彼女にはモチーフとなるFAがないようですが、どういった経緯から製品化が決まったんでしょうか。

野内　モチーフは半分あったのです。島田フミカネさんが描いた迅雷という絵なのですが、軽量型の轟雷というカンジで装甲に包まれてない部分が多い、素体に近いデザインなのですよね。轟雷の作業をひと通り終えたあたりで、ドールなどを楽しんでいるお客様用のアイテムがあったらいいよねという話に社内でなりまして。島田さんにお願いしたところ、絵を描いていただけたので、これでやりましょうと決まりました。

――これも設計面で轟雷からすごく進化してますよね。股関節がほぼ新規で。

野内　体育座りができればいいなと思って製作をお願いしたのです。そうしたらとんでもないものが上がってきた。

清水　FAガールの構造では体育座りが難しいのです。胸が前に倒れないし、腰を前に倒すしかなかった。ただ前に倒すだけだと太ももが上がらないので、股関節自体が真下に下がるようにして太ももを上げる可動域を稼いだのです。[※11]こういう真ん中に軸があって。轟雷の様な中心軸にて円軌道で可動する股関節だと、太ももを上げていくと斜めに上がってしまって脚が外に開いてしまうんですね。マテリアでは太ももを上げた時に脚を正面に向かせたかったので、股関節は上下スライド式の構造にして、太もも内部には、太ももが外側に可動する様な構造を入れました。股関節が左右いっしょに降りてしまうのも見栄えがよくなかったので、片側ずつ動かせるようにしています。

野内　右脚と左脚を別々にしたのはすごいよね。

清水　膝立ちとかするときに若干影響するのですが、左右同時に股関節が動く構造では片脚を上げるために股関節を下げると、上げなくてもいい脚のほうに隙間ができる。それは見栄えがイマイチかと思ったので、左右で独立して動くようにしました。

野内　開発に聞いてからやったの？

青木　聞かれましたよ。事前に打ち合わせというかたちで、原型完成前に見せてもらったのですが、腰まわりにこまかい部品が密集していて、「どうやって成型するんだよ！」って言ったら、「いやそれは開発さんでがんばって」って（笑）。その後清水と話しながら設計を行ない、組み立てやすくなるようにできるだけ部品をまとめて、可動を殺さず部品を活かしつつ部品構成を変えていく方法で対応しています。

――マテリアのミッションとしてはドール的なアイテム、プラス体育座りだったということですね。パチパチと組んで触ってみて、いちばん楽しいのはマテリアだなあというのは強く思います。

野内　ただ、デザインがメカニカルなニーソックスと手袋なので、半袖の布服を着ると白い腕と白い足が伸びるってカンジにはなってしまいますね。

――迅雷のコトブキヤショップ限定版には肌色成形の腕と脚が付属しますよね。

野内　そうですね。ただあれは肌色にしただけなんです。だからもうちょっと生っぽい四肢が作れないかと考えています。

――ただ、そこはFAガールの逃げどころとして上手いなと思っていて、この子たちはロボット的な女の子なんですよ、だからヒジやヒザもこういう形なんですよって納得できるデザインなのが上手いですよね。

野内　たしかに、これは美少女フィギュアというよりプラモデルなんだ、と思い込める的なところはありますよね。

――美少女フィギュアというと、昔に比べれば市民権を得てはいますが、やはり買うのが恥ずかしいみたいな感情がまだあるなかで、「これはロボットだから」とか、「FAのシリーズだから」みたいな照れ隠しができてる。あくまで僕らはプラモデルを楽しんでるだけで、美少女に邪な気持ちがあるわけじゃないんだよ、という。

野内　そうですね。なのでKOS・MOSやレイキャシールのころは、「箱絵からも

3 武装神姫
'06年にコナミより発売され、ブームを巻き起こしたアクションフィギュアシリーズ。現在、コトブキヤよりプラモデル化が予定されている。

4 レイキャシール
ゲーム『ファンタシースターオンライン』に登場するクラスのひとつ。ここで話題に上がっているのは、'03年に浅井真紀氏により可動レジンキャストキットとして発売され、大きな話題を呼んだアクションフィギュアブームの原点ともいえる製品をブラッシュアップしたうえでコトブキヤがプラモデル化した製品のことを指している

5 KOS・MOS
ゲーム『ゼノサーガ』シリーズのキャラクター。本誌でもおなじみ伊藤霊一氏原型でコトブキヤより複数種キット化されている

6 『PSO2』の企画
浅井氏がデザイン・原型を務めた製品、「朱鬼姫シキ」「藍鬼姫シキ」のこと

7 柳瀬さん
柳瀬敬之。多くのFAのデザインを務めている

8 島田さん
島田フミカネ。FAガール轟雷などのデザインを務めているイラストレーター

9 メタルギア REX
ゲーム『メタルギアソリッド』に搭乗する核搭載歩行戦車。コトブキヤよりプラモデル化された

10 アーマード・コア
フロム・ソフトウェア手がけるロボットアクションゲーム。コトブキヤより多数製品化されている

「女の子であること」という部分にはこれからもこだわっていきたい

うちょっとアダルトさを減らしてください」など、そういう話はありました。やはり言い訳としての「美少女フィギュアというよりプラモデル」というのは用意したいと思っていましたので。

青木　やっぱり女の子モチーフなので肌の肉感、髪の流れなど、柔らかい部分はできるかぎり再現していくように設計しています。シワなどの3次曲面はCADでデータ化する時に原型のように柔らかく見えるようにするのは非常に困難です。そこを再現するために工場側に指示を出しながら、奮闘しています。おかげで最近では難しい3次曲面もかなり高いレベルで捉えられるようになりました。

――シリーズ初期はパンツ柄デカールとかも用意してましたよね。

野内　そうですね。最初でしたので、多少バカなこともやってみようかという。そのころはいろいろ試行錯誤していたので、デカールとかそういうので差別化を図ろうと思っていたのです。

――今後パンツのデカールセットとか、[※12]キューポッシュみたいに服をリリースしたりはあるんでしょうか。

野内　どうなんでしょうね、考えてはいますけど。ただほかにドール用とかの服を手がけている会社さんもたくさんあるので、それはお任せというカンジで。我々はどちらかというと[※13]ギガンティックアームズとかそういう方向に行こうと。これも付属する轟雷のデカールのせいなのか、商品自体の魅力なのか、すごい売れてくれましたね。

――ギガンティックアームズはFAガールありきなんですか？

野内　これは別の担当の商品なのですが、ロボットでもなんでもいけるように考えています。FAでも乗れますし。シリーズとしてはM.S.Gなので、日本刀とかと同じで、ロボットにも美少女にも使えるという。FAガールとかの女の子用M.S.Gみたいなものもいろいろ考えてはいますが、弊社から直接出すオプションはメカ系ですね。1／12のアイテムってすごいま充実していますし、FAガールでドール系とかのお客さんも増えて需要を感じてはいますが、とりあえずはメカ系のプレイセット的なものを出せればと。

――デザイナーさんについてもお聞かせください。[※15]フレズヴェルクからは駒都えーじさんが参加しますが。

野内　そうですね。もともとFAガールは柳瀬さんがデザインしたFAを島田さんが同人誌で描いて、という流れがあったので。ほかの機体を島田さんにお願いするのもどうなのかと思いまして。参考にと島田さんにほかのデザイナーさんではどなたがいいですかと相談したところ、駒都さんの名前が挙がりました。幸い弊社から別口で駒都さんと繋がりがあり、FAのフレズヴェルクは木下ともたけさんがデザインしていたので、弊社から木下さんに相談して駒都さんに決めたというカンジですね。今後もいろいろなデザイナーさんに関わっていただくつもりです。次のワンダーフェスティバルでは完全に新しい人にお願いしているので、驚くと思いますよ。乞うご期待です。

◆自由に遊んでもらいたい

――FAガールは新しいホビーが産まれたというか、カスタマイズしやすい遊べる大きな素材が現れてくれたなと思います。今回の特集内にしても、あまり「カッチリ作ろう！」みたいなのは断言したくないと思っているところがありまして……。こういう遊び方もあるから楽しいよ、という風に持っていきたい部分がありますね。それこそ塗装しなくてもいいアイテムですし。

野内　10年前か20年前くらいのプラモデルのシーンと同じくらいなのかなって感覚はありますね。好き勝手にロボットに自作の武器をつけてみたりするような（笑）。そういう自由な時代のカンジですね。「このキャノン砲は砲口直径20㎜だから1／100だと0・2㎜穴じゃないといけない」とか、そういうのに強く引っ張られるのはオリジナル物ではおもしろくないねと思っているので、我々もそういう明確な設定は出さないようにしていますね。よく聞かれるのは「これはロボットなのか、女の子なのか、1／1なのか」という質問で、我々としてはどれであってもいいというスタンスですね。組み立て説明書にも敢えて設定を書いていませんし、今後もそうするつもりです。身長150㎝の女の子でもいいし、15mのでかいロボットでもいいし、1／1のロボットでもいいですよ、というつもりでいます。それは遊びの幅と同じで、ぼかしておいたほうがお客様は遊べるよねという。自由にさせておきたいのですよね。

――作るほうが考えながら遊んでくれと。あくまで原作は模型であって、仮に今後メディアミックスなどをしても根っこはプラモデルということで。

野内　そうであってほしいですね。アニメ化ゲーム化をしようが原作はプラモデルです。

――最後に、本誌の読者に向けてアピールしたいなどございましたら、ぜひメッセージをお願いいたしします。

野内　スケールモデルとのミキシングなどもどんどんしてほしいですね。ハセガワさんのブルーインパルスの『たまごひこーき』とコラボもしていますし。

清水　いろいろ組み替えられるようにというのがシリーズの題目ではありますが、そうした遊びがしやすくなっているだけで、楽しさのためには組み替えや改造が必要なわけではありません。いろいろなところが取り外せたり軸穴が空いていたり、というのは選択肢のひとつです。その多様な選択肢自体を楽しんでいただければありがたいですね。

堀　作る人次第で姿がどんどん変わるのが楽しいですよね。僕も社内コンペなどで作ったりしていますけど、メーカーの人間がやると、使えるパーツも縛りがあるので（笑）。お客様はそのあたり気にせず、本当に自由に遊べるので、思いつくままに手元にあるもので遊んでいただければなと。

青木　いろいろな遊び方に対応できるように、開発としてもがんばっていきます。新しいお客様もたくさん入ってきていただいているので、プラモデルに慣れていない人もいると思うのですけど、そういったお客様にも対応できるよう、ある程度組みやすさを確保していきたいと考えています。■

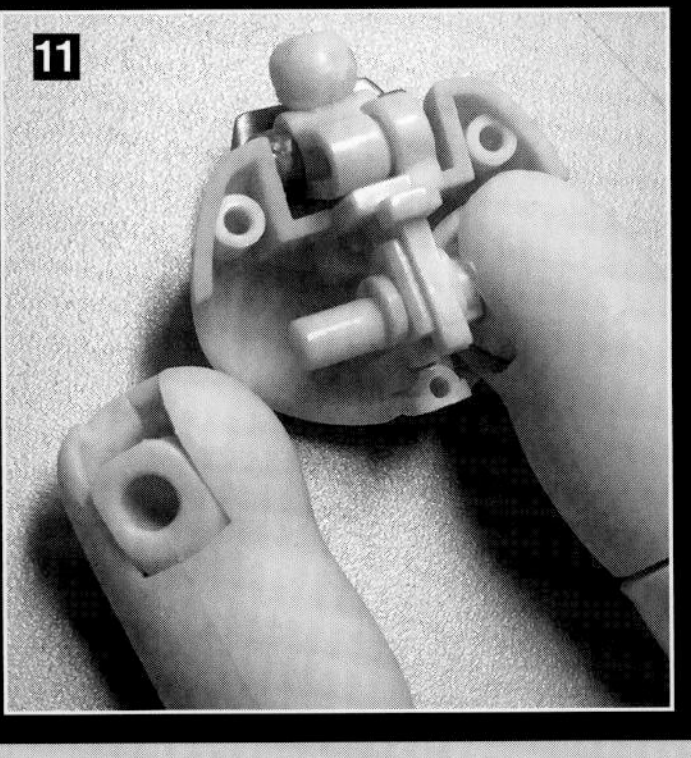

11

11 こういう
マテリアの股関節は軸可動を組み合わせたものとなっている。さらに股関節自体に上下の遊びがあり、左脚右脚の垂直位置を調整可能……とタイトな箇所に可動のためのギミックが可能なかぎり詰め込まれている

12 キューポッシュ
コトブキヤが展開するデフォルメアクションフィギュアシリーズ。専用の衣服なども発売されている

13 ギガンティックアームズ
'16年9月発売のパワードガーディアンよりシリーズをスタートする、大型サポートアイテムシリーズ。パワードガーディアンは左写真のようにFAガールなどが搭乗することができる

13

14 M.S.G
モデリングサポートグッズの略。コトブキヤが展開するプラモデル用オプションシリーズ

15 フレズヴェルク
FAフレズヴェルクをモチーフとしたFAガール。島田フミカネ氏デザインのこれまでの製品と違い、駒都えーじ氏がデザインを手がけている

15

新規金型大幅追加 リニューアル版

●素体部分はイノセンティアに準じて腰部の引き出し関節や腰部の可動部が追加されたほか、スカートも可動。従来品の轟雷と共通のパーツは頭部と肩装甲程度で、大幅にリニューアル

フレームアームズ・ガール 轟雷改 Ver.2
発売中　税込5940円（税別5400円）

▲アニメ版『フレームアームズ・ガール』風の元気な表情パーツへと変更。ツインテールは軸可動が加わった

表情豊かにお色直し

●素体部分は轟雷改Ver.2と同様のアップデートが施され、可動域が大幅に拡大。追加武装も新規金型で追加

フレームアームズ・ガール スティレット XF-3
発売中　税込6050円（税別5500円）

あれから月日は流れました 新作キットおさらいコーナー

'16年と'17年の特集を再録している本書ですが、'21年に至るまでFAガールは新製品がたくさん発売されています。本項では新キットたちをおさらいします。

髪の可動性能向上! 追加武装もてんこ盛り

●バーゼラルドの後ろ髪パーツを1パーツから4パーツへ分割、それぞれに可動部を追加。自然な髪の動きが表現できるように進化した。武装パーツがこれでもかと追加されてウサミミも大型化

フレームアームズ・ガール ゼルフィカール
発売中　税込8360円（税別7600円）

'15年に発売されたフレームアームズ・ガール（以下FAガール）轟雷から数えること6年、'21年現在はFAガールのアップデートが進行している。FAガール 轟雷改Ver.2を例にすると、腰関節はFAガール マテリア／イノセンティアを踏襲し、従来固定されていた腰部の可動部を増設。股関節、肩関節、腰関節はイノセンティアを準拠に引き出し可動を追加して素体部分に大幅なアップデートが施された。ほかにもフェイスは新規パーツと新規アイプリント、さらには胸部装甲の大サイズ、中サイズ、通常版のバリエーションまで追加されているなど、変わっていないところを探すほうが難しいくらいの大改修となっている。

FAガール スティレット XF-3は轟雷改Ver.2と同様、素体のアップデートとフェイスパーツや武装パーツの追加でリニューアルされたスティレットとしても組み立てられる。ここで忘れちゃいけないのがフェイスパーツの互換性について。新規パーツとなっているものの、FAガールのフェイスパーツは規格が統一されているため、ポン付けで好きな表情が楽しめる。そのため、従来の轟雷やスティレットの顔が好みだけど新しいバージョンも組んでみたい、というニーズも満たしている。

FAガール バーゼラルドとFAガール フレズヴェルクは後発キットで可動性能も良好、そのためFAガール ゼルフィカールとFAガール フレズヴェルク Bikini Armor Ver.は素体の構造にはさほど手が入っていないため、小規模なアップデートとなっている。

完全新規造形のキット、FAガール グライフェンはFAガール フレズヴェルクを踏襲した構造で可動範囲も似る。FAガール白虎とともに、新規造形だが手足や頭部、フェイスパーツはシリーズ内での互換性があり、組み換え遊びも楽しめるぞ。■

●手首も含めて完全新規造形。武装パーツは二脚ライドビークルへと組み換え変形可能。脚部は色分け済み、合わせ目が目立たないようこまかく分割されている

フレームアームズ・ガール グライフェン

発売中　税込7040円（税別6400円）

2018年11月発売、完全新規造形キット

2018年2月発売、手首以外完全新規造形キット

●ヘルメットは顎部が着脱可能、ヘルメットを外した頭部も同梱。FA 白虎同様、新川洋司氏がFAガールのデザインも手掛けた

フレームアームズ・ガール 白虎

発売中　税込6050円（税別5500円）

カラバリ＆パーツ追加

追加パーツ多数付属！夏を楽しもう

フレームアームズ・ガール フレズヴェルク＝アーテル サマーバケーション Ver.

'21年5月発売予定　予価税込5720円（税別5200円）

●FAガール フレズヴェルク Bikini Armor Ver.の成型色をホワイトベースのアーテル色に変更し、ビーチボールやサンバイザー、固定ポーズ用の肩（脇の下）やバランス調整された二の腕、つぶれ胸が同梱。武装状態の手足も付属するぞ

スク水風からビキニ化

フレームアームズ・ガール フレズヴェルク Bikini Armor Ver.

発売中　税込5280円（税別4800円）

●手足は既発売のフレズヴェルクのものと同じ。頭部はヘッドギアなし、胴体はビキニアーマー風の肌面積が増えた新規造形パーツ

注：キットにはM.S.G ウェポンユニット21 ウォーターアームズは付属しません

ビキニアーマー化

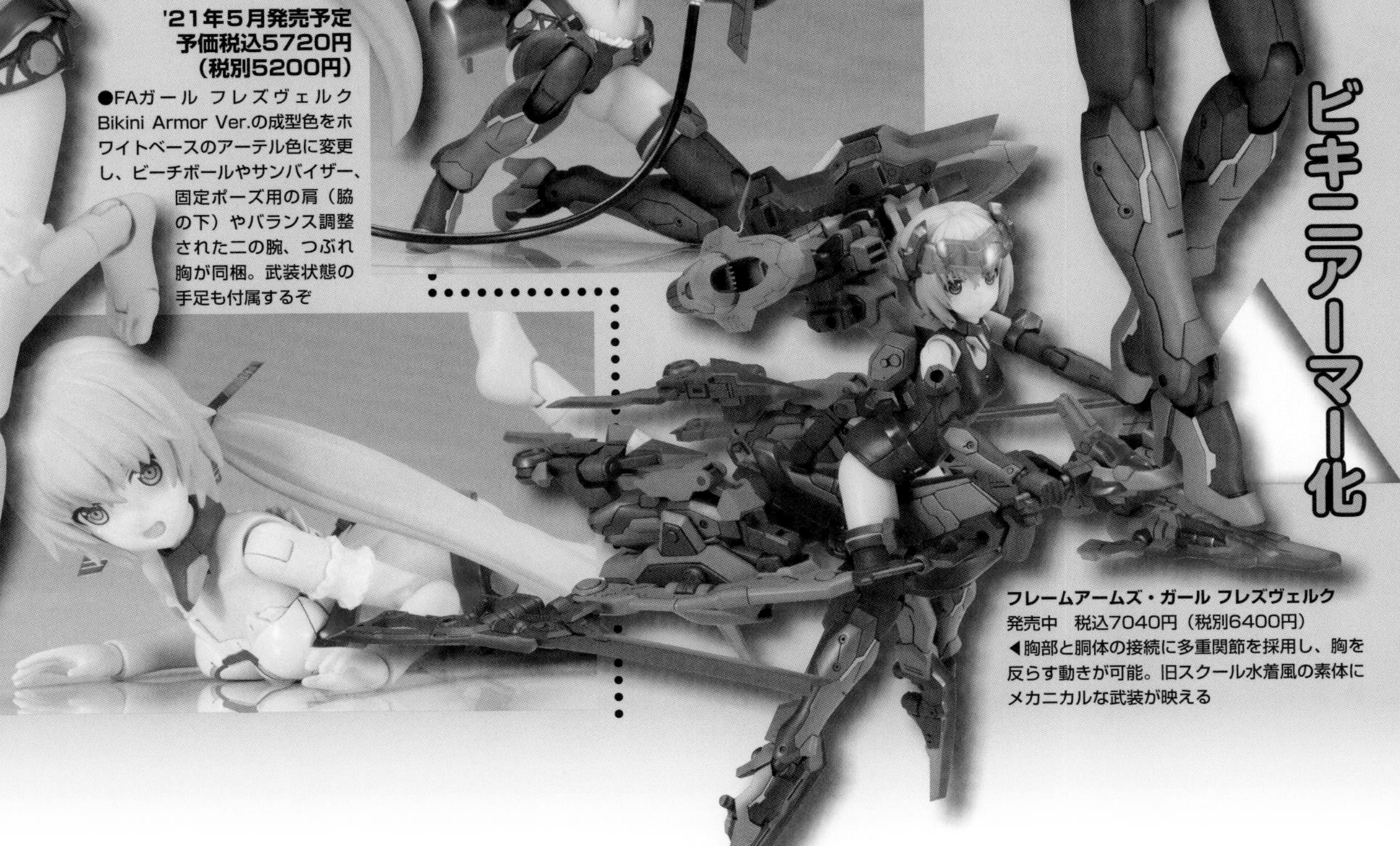

フレームアームズ・ガール フレズヴェルク

発売中　税込7040円（税別6400円）

◀胸部と胴体の接続に多重関節を採用し、胸を反らす動きが可能。旧スクール水着風の素体にメカニカルな武装が映える

フレームアームズ・ガール
マガツキ

'21年に発売されたフレームアームズ・ガール マガツキは手首以外がほぼ新規造形のキット。素体部分は引き出し関節を多用し、可動性に優れたものとなった

フレームアームズ・ガール
マガツキ
コトブキヤ　ノンスケール
インジェクションプラスチックキット
発売中　税込6820円（税抜6200円）
出典／『フレームアームズ・ガール』
原型製作／清水 康智、八音

●手首と手首関節、股関節のポリキャップ、スタンドはほかのキットと同じものだが、それら以外は完全新規造形。頭部のツノは大小と有無を選択できる。胸と腹部をつなぐ関節は上側にスライドし、大きく胸を反らせる

●ロングヘアはふたつに分かれた髪束がフレキシブルに可動。ヘッドギアの内部には髪を動かす可動部があり、後ろ髪全体を持ち上げて自然に後ろに流すこともできる。股関節は下側にスライドし、太ももを大きく前に動かせる。腰パーツおしり側はグレーの部分が塗装済み。ほかにもショーツ状の外装や髪のリボン根本も塗装済み

ＦＡガール マガツキはＦＡガール イノセンティアに搭載された脇の引き出し関節と同様の構造を備え、胴体内部には関節部の引き出しギミックを採用。これにより、刀を両手で構える、寝そべって胸をそらすなどのポーズが容易に取れるようになった。股関節は下側にスライドできるボールジョイントで太ももと接続。太もも内部にはこれまた引き出し機構があり、足を閉じておしとやかに立たせられる。また、可動させてもパーツ干渉は少なく、取らせたいポーズが思い通りにとれる点は特筆に値する。ヒザは装甲パーツがヒザ関節に連動することで関節パーツの存在感を薄くし、ポーズを取らせても不自然さが少ない。

武装時形態はふとももや胴体などの一部は差し替えパーツを使用するが、基本的には素体に装甲を取り付けていく形式だ。着せかえ遊びのようにふたつの形態を行き来させる楽しみかたもできる。■

●武装をつけても素体の良好な可動範囲はそのまま、刀を振るポーズがダイナミックに決まる
●鞘を接続するアームは腰に接続されるのだが、後ろ髪パーツは可動させて干渉を抑えられる。各部の増加装甲は素体に接続していく、武装をまとわせていくスタイルだ。お腹の黒い装甲は素体の肌パーツを覆うようにかぶせる

フレームアームズ・ガール
ドゥルガーⅠ《アイン》

'21年発売予定の最新FAガール、ドゥルガーⅠは西洋甲冑風の武装とぜいたくなフリル、ウエーブのかかった金髪が目を引く金髪のお嬢さま！ 素体はFAガール マガツキと共有する部分が多く、優秀な可動性能も継承されている

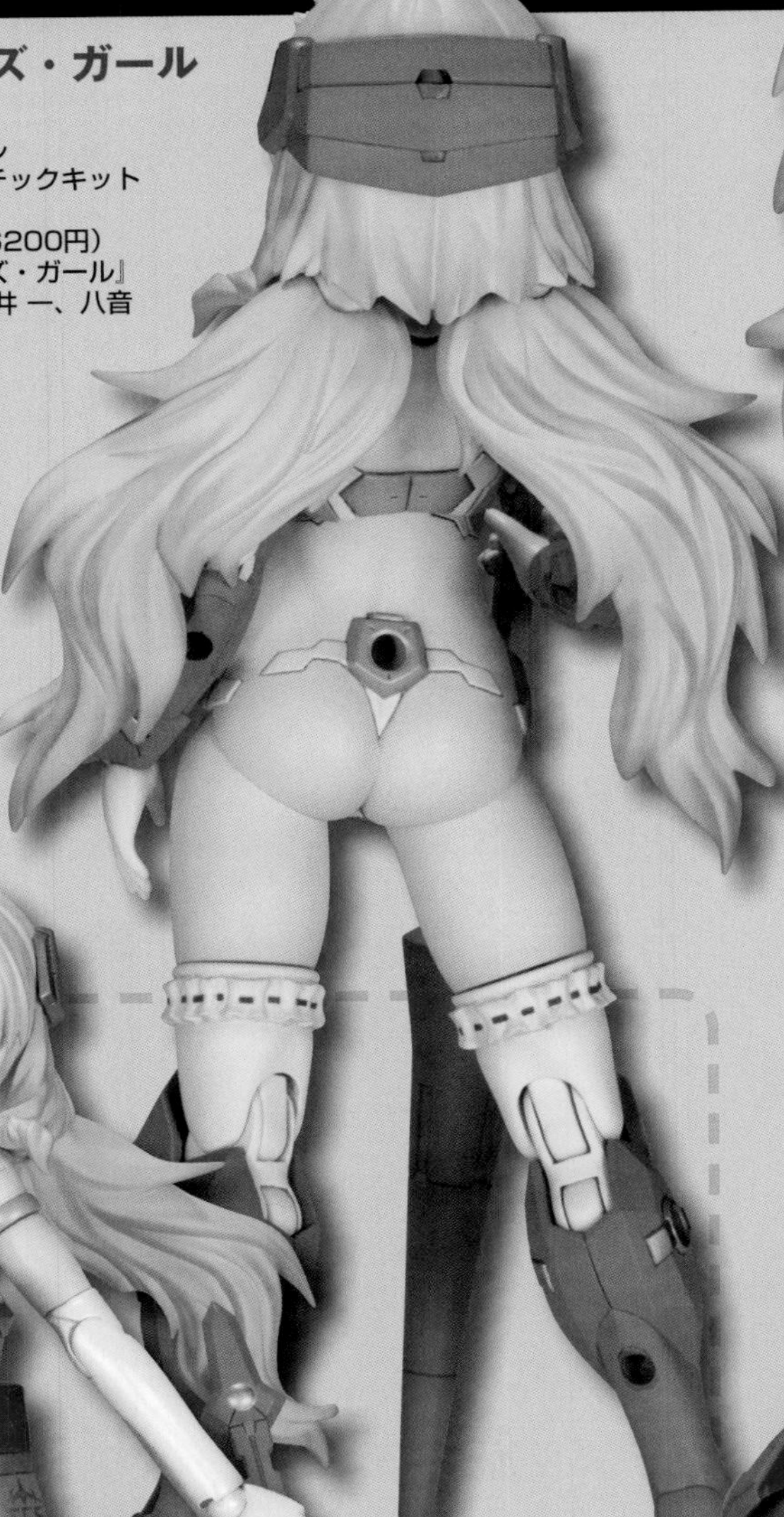

フレームアームズ・ガール
ドゥルガーⅠ
コトブキヤ　ノンスケール
インジェクションプラスチックキット
'21年9月発売予定
予価税込6820円（税抜6200円）
出典／『フレームアームズ・ガール』
原型製作／清水 康智、楠井 一、八音

槍を持った西洋甲冑のようなFAガール ドゥルガーⅠは'21年9月発売を予定している最新のFAガールだ。（ほぼ）完全新規設計のFAガール マガツキと設計を共有する部分が多いのは、元ネタである『フレームアームズ』でのドゥルガーⅠとマガツキが兄弟機という関係とも合致する（元ネタのほうでも頭部、足、胸部、肩アーマーと武器以外、ようするに素体部分は共通のパーツで構成されている）。

さて、FAガール ドゥルガーⅠに話を戻すと、姫カットな大和撫子から一転して高笑いが似合いそうなお嬢さま風になった。可動は姉妹機のFAガール マガツキゆずりで良好、武器は馬上槍を模した槍が付属する。背部の武装ユニットはブースターと接続アームへと変更されているが、このブースターはFAガール マガツキの肩アーマーを変形させたものだ。■

●FAガール ドゥルガーⅠ／マガツキもFAガールシリーズ内でのパーツの互換性がきちんと残されている。写真ではFAガール マテリア、FAガール イノセンティアのパーツに交換している。好きなキットの手足と交換する、各部の3㎜穴に武装を増設するなどさまざまな楽しみ方がある

ほかのFAガールのパーツも もちろん装着できるよ

●武装形態は槍と胸部、腰の両サイドにあるヒダ状のスカートと靴が新規パーツ。スネアーマーや腕の装甲など、FAガール マガツキと共通のパーツでも、取り付け位置が変わるとまるで別物に見えるのがおもしろい
●槍はメイスとショートランスに分離できる

●フェイスパーツはすまし顔の「通常顔」、ウインクした「片目閉じ笑顔」、不満が聞こえてきそうな「叫び顔」の３種類。すべてタンポ印刷でとってもカワイく仕上がっている。塗装派向けに瞳のデカールも付属するが、装甲の模様を再現するための金マーキングもデカールに収録されているのは無塗装派にもうれしいポイントだろう

フレームアームズ・ガール スティレット XF-3

本誌『月刊モデルグラフィックス』のバックナンバーを掘り返すとフレームアームズ・ガールの作例はどれも「少しずつ縮める」とか「盛るか」なんてハイカロリーな作例ばかり。ここらでいったん落ち着いて、キットのかわいらしさをきちんとお伝えしたい、そんな作例です!

フレームアームズ・ガール スティレット
XF-3 Low Visibility Ver.
コトブキヤ ノンスケール
インジェクションプラスチックキット
発売中　税込6380円（税別5800円）
製作・文／**がっとねろ**

●基本的な工作のみで、切ったり貼ったり伸ばしたり縮めたりといった大改修は行なわず、キットのデキをそのままに仕上げてみた
●武装は柳瀬敬之氏デザインのスマートガン、ミサイル、大型ガトリングガン、ブレードがキットに付属。組み立て説明書や完成見本から少しアレンジを加え、塗り分けを増やしたほか、デカールでコーションレターを追加した

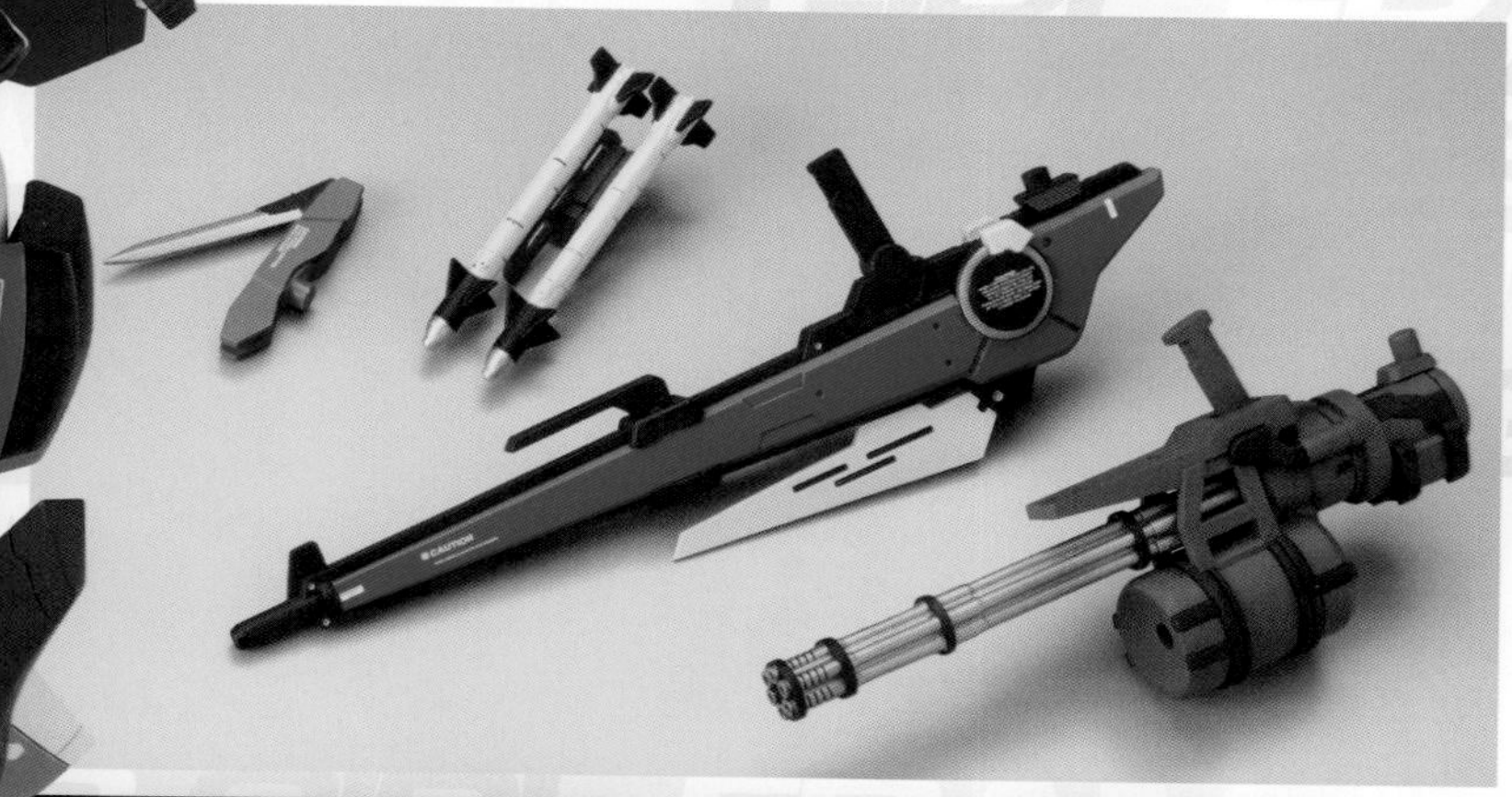

●髪の表側は陰影を強調してグラデーション塗装。ツインテールの内側はシェードに使った色を広く塗って陰になっていることを強調した
●各部にコーションレターを貼って情報量を増やすとお手軽にカッコよさが高められる

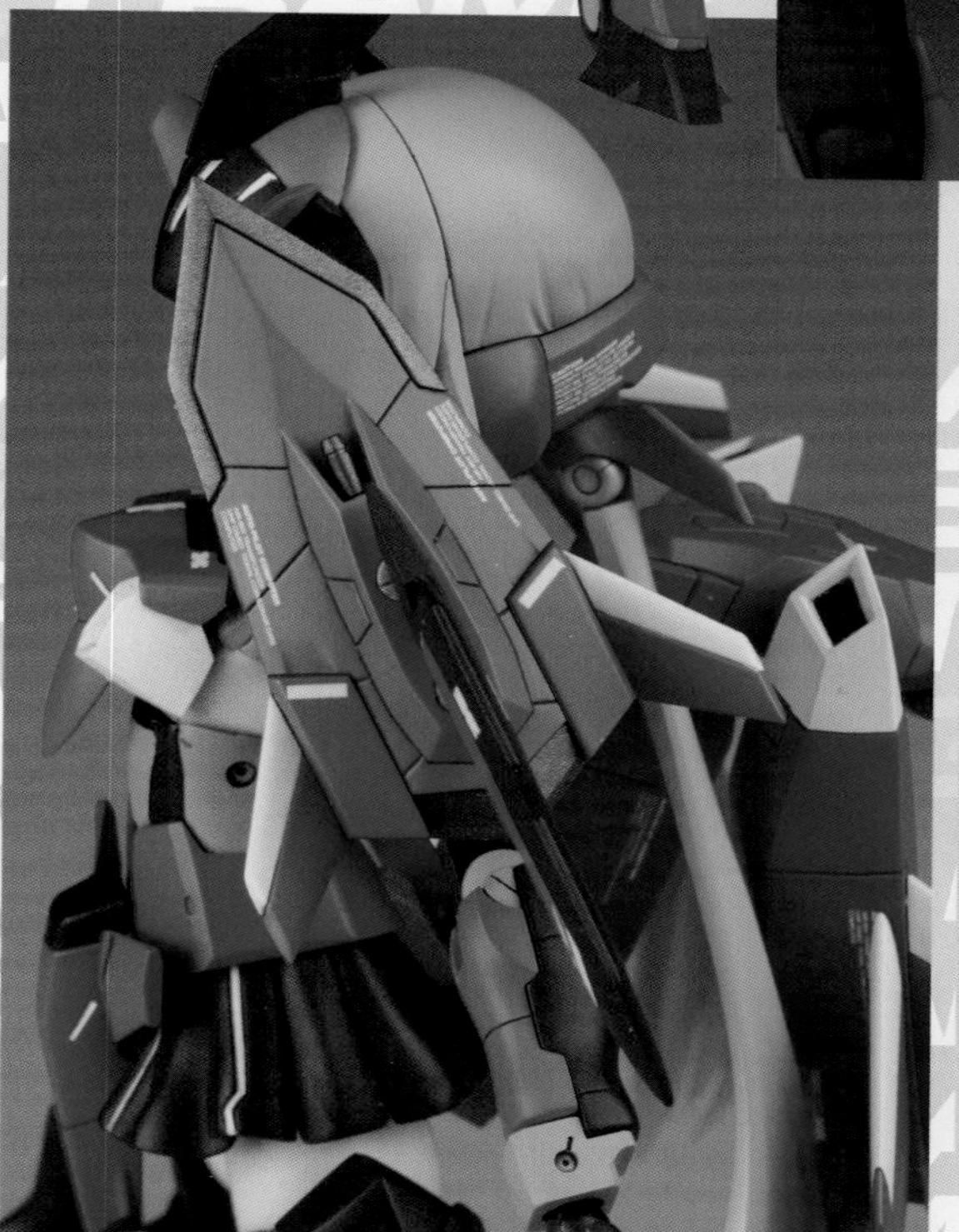

●FAガール スティレット XF-3で追加された背部ブースター。通常型とドローン型のふたつの機首を選択して組み立てられるが、今回は通常版の戦闘機風の胴体を使用

XF-3としてバージョンアップしたし、あらためて工作をおさらいするわ!

●素体部分は轟雷改 Ver.2と同様に股関節・太もも・スカートを中心とした可動範囲が大幅に向上。武装パーツも新規パーツが多数追加されたスティレット XF-3。そのままでも超かわいい

▲塗膜でスジが消えてしまわないよう、ハイキューパーツ ラインスクライバーCSで軽く撫でていく

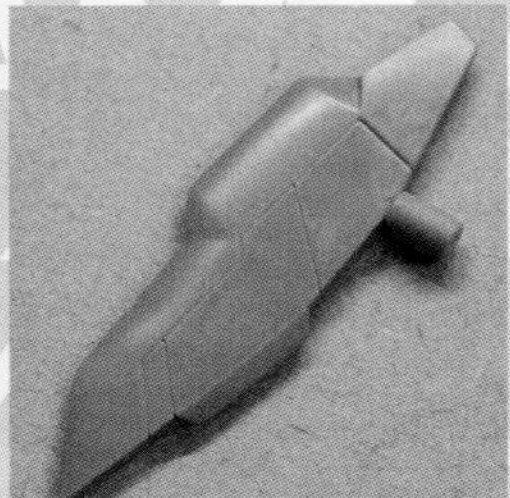

▲スジ彫りに強弱がつけられている肩部ドローン用の小羽根

スジを彫り直して表面を磨く

▶GSIクレオスMr.セメントSPを流し込んで溶かすとスジの底が簡単に均せる

▶スジを彫り直したパーツの表面は毛羽立ちが起こりがち。いちどヤスリをかけて均してみよう

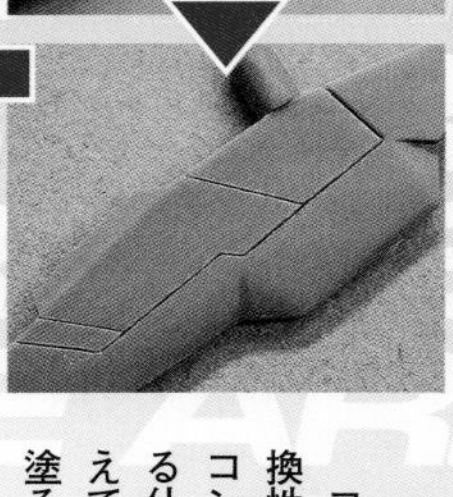

▶モールドが深くなりシャッキリとした印象に。しくじった部分は瞬間接着剤を塗って磨き直そう

▼こまかなコーションマークはハイキューパーツ、Eight 、Vertexといったアフターパーツメーカーのものを見繕った

コトブキヤのキットは3㎜軸同士での互換性があり、M.S.Gやほかのコトブキヤコンテンツとのミキシングビルドを楽しめる仕様になっています。ですが、今回はあえてキットをそのままふつうに組み立てて塗るだけで楽しいぞ! と伝えるべく、フレームアームズ・ガール スティレット XF・3をお届けします。

今回はミキシングや改造をしない方向性なので基本工作を重点的に行なっています。

◆スジボリの彫り直し

合わせ目を消す部分が平面であれば面が歪まないように固い当て木を、曲面には面に追従する少し柔らかめの当て木に紙やすりを貼り付けて削ります。膝裏などのヤスリの入りにくい場所はリューターにダイヤモンドビットを取付け大まかに削ったあと、スポンジヤスリで仕上げます。瞬間接着剤など異素材で接着した場合のモールドは硬さが違うため掘り直し時に線が歪みやすくなります。エッチングソーや目立てヤスリを使用して真っ直ぐな線を引いたあとにタガネなどで整えると失敗が少ないです。

BMCタガネやハイキューパーツ ラインスクライバーを使い、力を入れず、軽くなぞる感覚で5~15回程度好みの深さになるまで彫ります。モールドだけでなく逆エッジ(谷部分)や塗り分け箇所も彫っておきます。彫ったモールドは底面に多少のガタつきができています。溶解力の強いMr.セメントSPをモールドに流し込んでおくとモールドの底面がわずかに溶けてなめらかになり、スミ入れ時に塗料がキレイに流れます。

◆合わせ目消し

合わせ目を消す部分が平面であれば面が歪まないように固い当て木を、曲面には面に追従する少し柔らかめの当て木に紙やすりを貼り付けて削ります。膝裏などのヤスリの入りにくい場所はリューターにダイヤモンドビットを取付け大まかに削ったあと、スポンジヤスリで仕上げます。瞬間接着剤など異素材で接着した場合のモールドは硬さが違うため掘り直し時に線が歪みやすくなります。エッチングソーや目立てヤスリを使用して真っ直ぐな線を引いたあとにタガネなどで整えると失敗が少ないです。

◆表面のヤスリがけ

使う紙ヤスリは400番と2000番のみ。400番で磨くとそれなりに深い傷が残っているように見えるのですが、傷に対して直角にヤスリを動かすようにして2000番で磨くと、塗装するぶんには充分な仕上がりになります。傷消しのついでにエッジ周辺のバリも2000番で落としておきましょう。

▲最後に全体を基本色で整える。一見行ったり来たりしているようだが、基本色を薄く重ねるとソフトな印象になる

▲ガイアカラー FM-01 ミクグリーンにEX-ホワイト、EX-クリアーを加えた色でハイライトを乗せていく

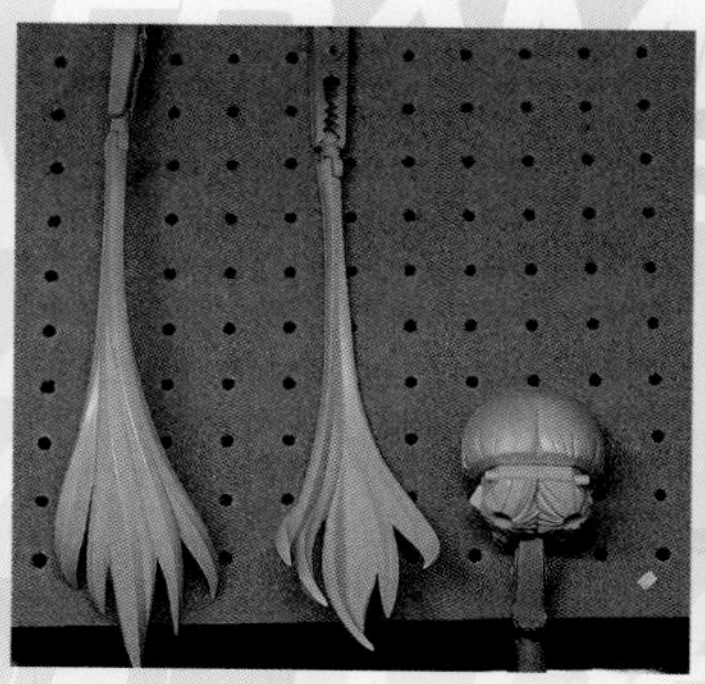

▲次にインナーカラーとしてガイアカラー 019ラベンダーにマゼンタを加えた色を塗る。毛先や毛束の谷も塗っておこう

▲髪はガイア サーフェイサーEVO ブルーをベースにXF-3（通常色）のパッケージアートに寄せたサーフェイサーで覆って基本色とした

▲キットのアイプリントを活かしつつタミヤ エナメル系塗料 ハルレッドでまつげを描き足す。ざっくり描いては消してを繰り返し、大まかな形状が決まったらエナメル溶剤を含ませた面相筆に持ち替え、加筆した部分を削りながら形を整える

まつげをチョイ足し

▶とにかく片方の目の加筆が満足いく状態になるまで描いては削りを繰り返す。片方がバッチリいい表情になったらそれに合わせるように残ったほうの眼に描き足して揃えていくと着地点が見えやすくなる

▲可動部分はそのまま接着してしまうと塗装後に塗膜が剥がれる可能性が高い。パーツの干渉する面をそれぞれ0.1mmずつ削っておくと安心だ

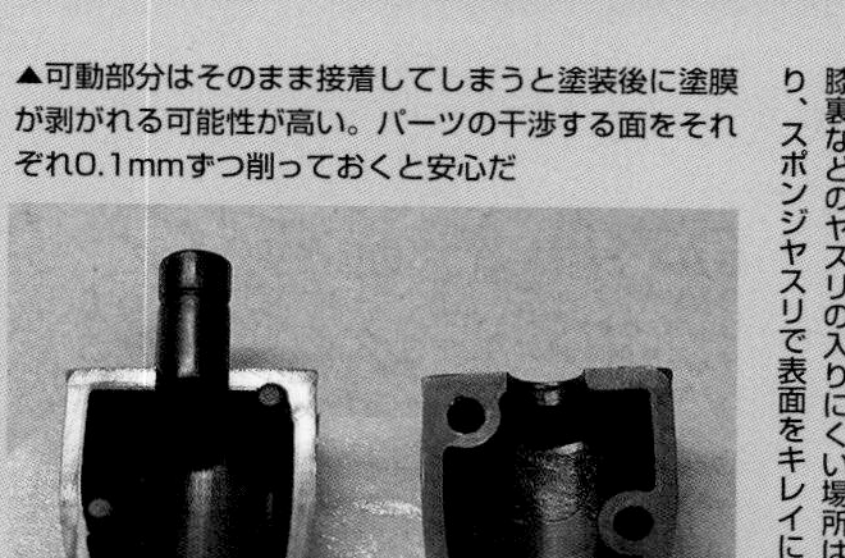

●組み上げた時にテンションのかからない部分はガイアノーツの瞬間カラーパテ グレーを使用して合わせ目を消す。瞬間カラーパテを合わせ目消しするパーツの片面に爪楊枝で塗り、パーツを合わせた後瞬着硬化スプレーで一気に硬化させる

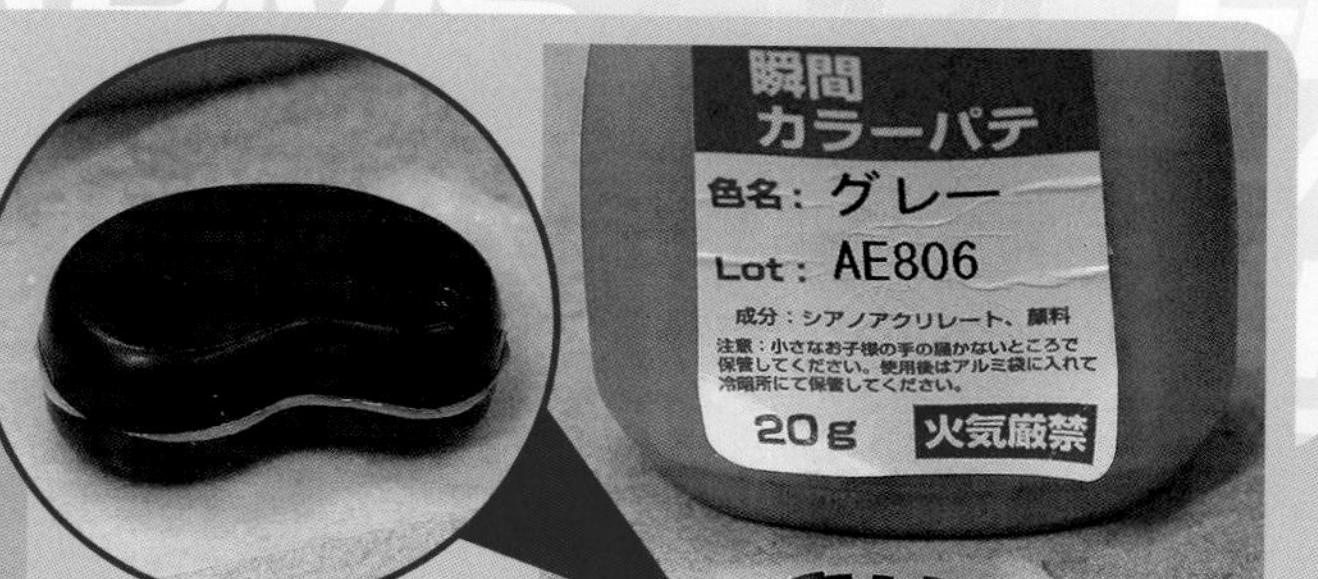

ムニュッ★

▶320〜400番程度の紙やすりではみ出した接着剤を削る。膝裏などのヤスリの入りにくい場所はリューターで大まかに削り、スポンジヤスリで表面をキレイに整える

磨きにくい凹みはリューターで解決!!

◆本体塗装

ガイアノーツから「フレームアームズ・ガール カラー」が発売されているので、スティレット用のカラーを使っています。

肌はプラスチックの透明感を活かすため、モデルカステン粘膜クリアーをEX-クリアーで薄めたもので陰影をつけた以外は塗装していません。一部例外として、肩と太ももの合わせ目部分のみ接着跡がちょっと見えてしまうので、プラスチックフレッシュにEX・クリアーを加えた薄いオレンジを軽く吹き付けて周囲の色と馴染ませています。最後にEX・フラットクリアープレミアムに雲母堂LGパールを加えたものでコートしています。■

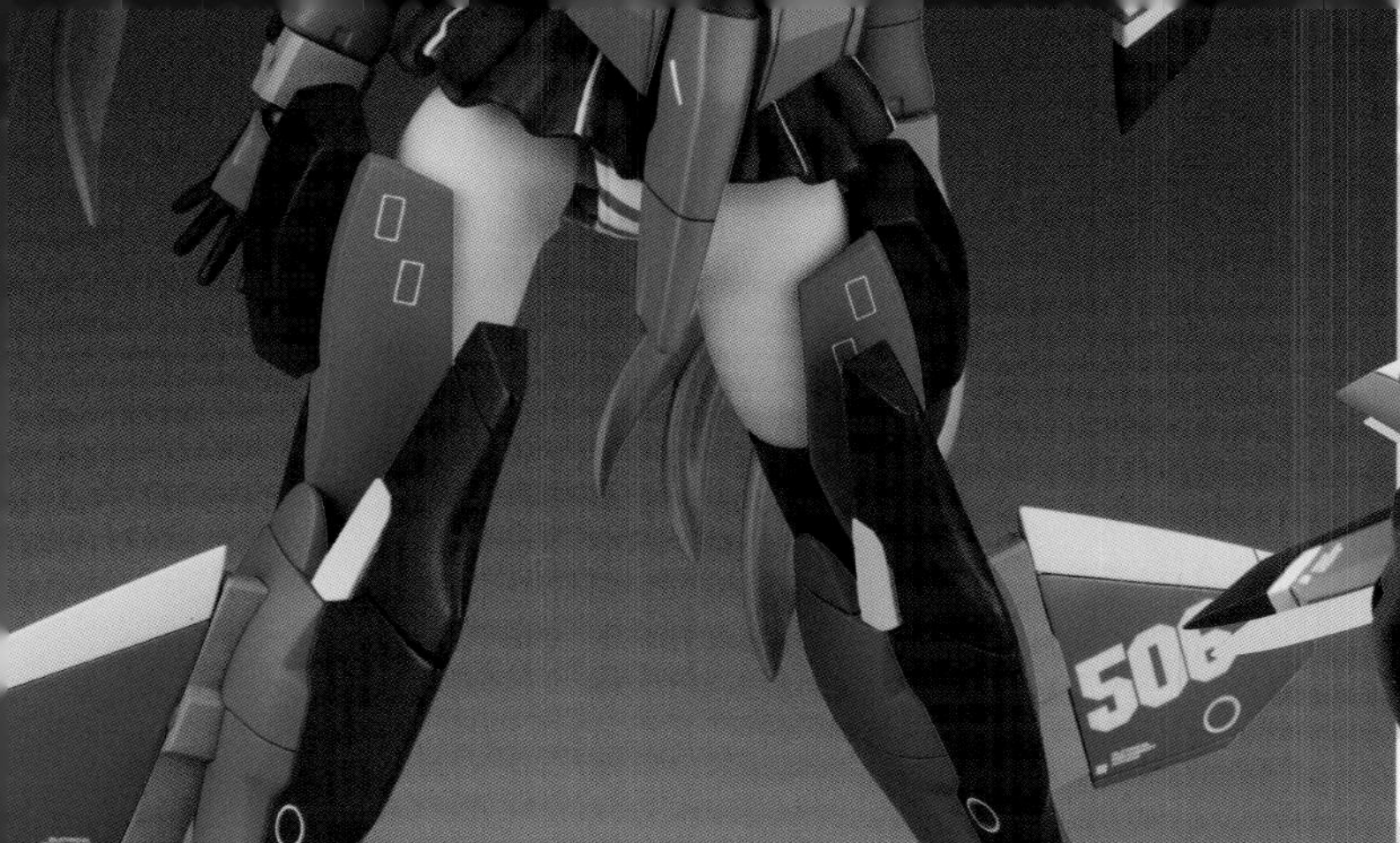

FRAME ARMS GIRL EF-3

"FRAME ARMS GIRL STYLET XF-3"
FRAME ARMS GIRL STYLET XF-3 Low Visibility Ver. based
KOTOBUKIYA Non-scale Injection-plastic kit
Modeled and described by GATTO-NERO

フレームアームズ・ガール
ゼルフィカール ST Ver. 改造

バーゼラルド

FAガール バーゼラルドの実質的なバージョンアップ版であるフレームアームズ・ガール ゼルフィカール ST Ver.をさらに先祖返りさせて「バーゼラルド」にするには、というテーマで製作した作例。文字にするとちょっと小難しいのですが、可動範囲が拡大したバーゼラルドに仕上がりました！

フレームアームズ・ガール バーゼラルド
コトブキヤ　ノンスケール
インジェクションプラスチックキット
フレームアームズ・ガール ゼルフィカール ST Ver.改造
発売中　税込7920円（税別7200円）

製作・文／**きぐさん**

ばーぜの歴史

●'12年に発売されたフレームアームズ（以下FA）YSX-24 バーゼラルド。現在はフレームアーキテクトが刷新された「:RE」版が発売中

美少女化

●島田フミカネ氏がデザインしたフレームアームズ・ガール バーゼラルドが'16年に発売。アンテナをウサミミに見立てたバニーガール風のデザインがとってもキュート

アップグレード

●'19年にFAガール ゼルフィカールが発売。素体部分の可動部が増え武装が追加された、FAガール 轟雷改 Ver.2、FAガール スティレット XF-3に続く実質的なバージョンアップキット

カラーチェンジ＆パーツ追加

●FAガール ゼルフィカールの配色をバーゼラルドカラーに変更し、ガンレイピア（写真の背部アーム右肩側の長剣）が追加されたFAガール ゼルフィカール ST Ver.。じつはFAガール ゼルフィカール（通常版、ST Ver.）の武装部分はバーゼラルドと同じパーツを使っている部分も多いので、すでに塗装して仕上げているユーザーは武装を移植してもよいだろう

FRAME ARMS GIRL BASELARD

(CONVERTED FROM ZELFIKAR ST Ver.)

バーゼラルドへ改造

●本体の塗装はコトブキヤ ノンスケールフィギュア「フレームアームズ・ガール バーゼラルド -SESSION GO !! -」を参考に各部をアニメ版のカラーリングに寄せつつタイツの質感をツヤありに変更している

●FAガール ゼルフィカールの後ろ髪は４房に分かれてそれぞれ根本から可動。そのためポーズに合わせてこまかく髪の毛の動きをつけられる

FRAME ARMS GIRL BASELARD (CONVERTED FROM ZELFIKAR ST Ver.)

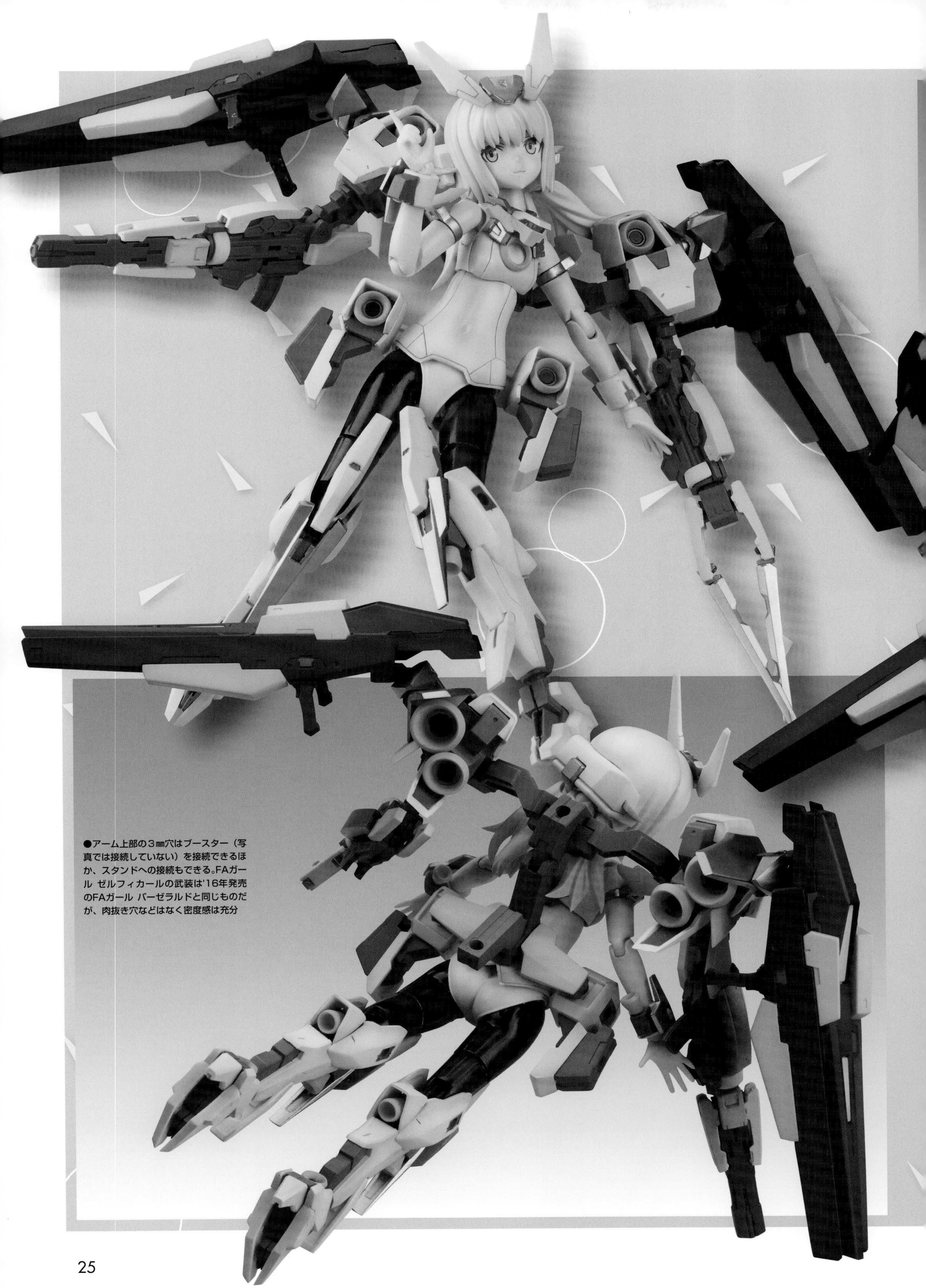

●アーム上部の３㎜穴はブースター（写真では接続していない）を接続できるほか、スタンドへの接続もできる。FAガール ゼルフィカールの武装は'16年発売のFAガール バーゼラルドと同じものだが、肉抜き穴などはなく密度感は充分

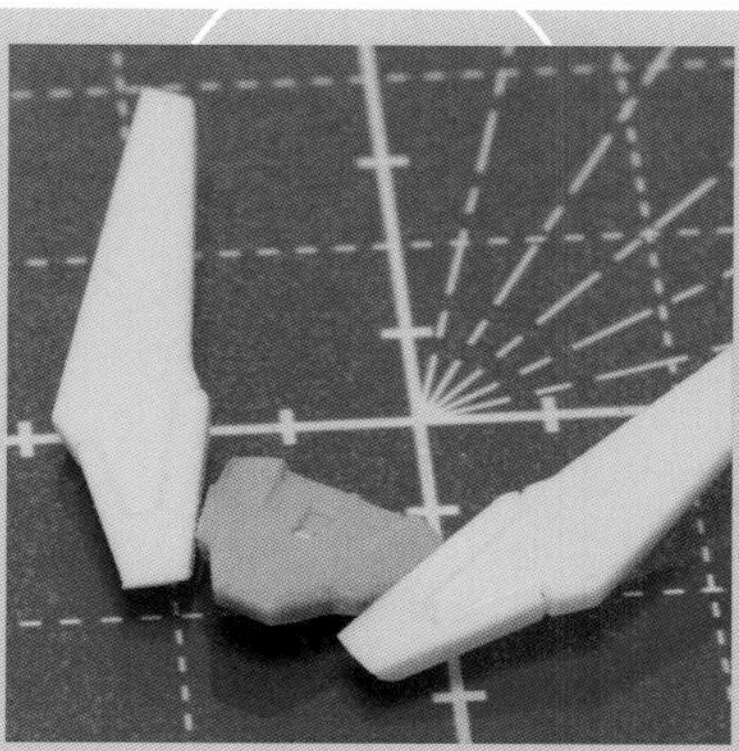

●頭部のウサミミ状のアンテナはFAガール バーゼラルドのものを流用。キットはウサミミの起き具合は差し替えパーツを使用するが、0.5㎜の真ちゅう線で接続して可動軸を作った

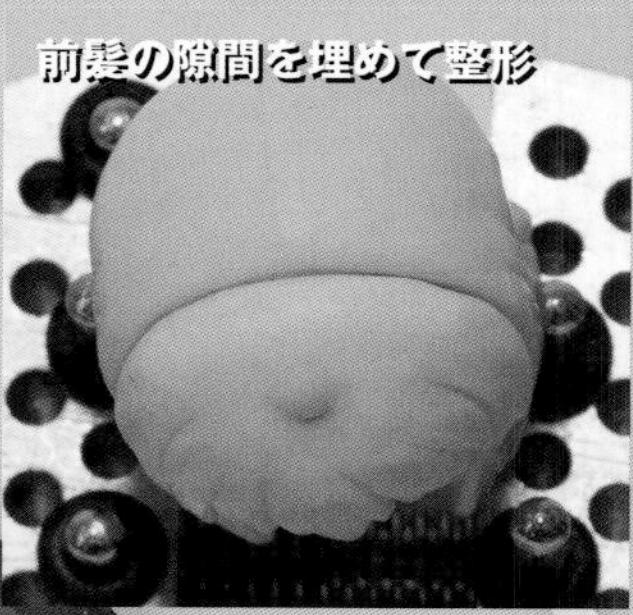

●前頭部のウサミミをつける凹部は3㎜の穴を開けてネオジム磁石を埋め込み、頭頂部のもともとウサミミを接続するために設けられている隙間とあわせて瞬間接着剤 シアノンで埋めて整形した

ちょっとひと手間
ピンを斜めに切って
仮組みをラクにしよう

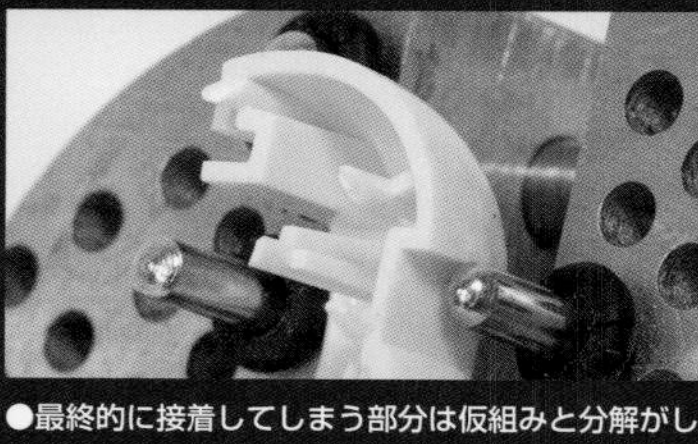

●最終的に接着してしまう部分は仮組みと分解がしやすいように凸ピンを斜めに切り飛ばすと作業性がアップするぞ

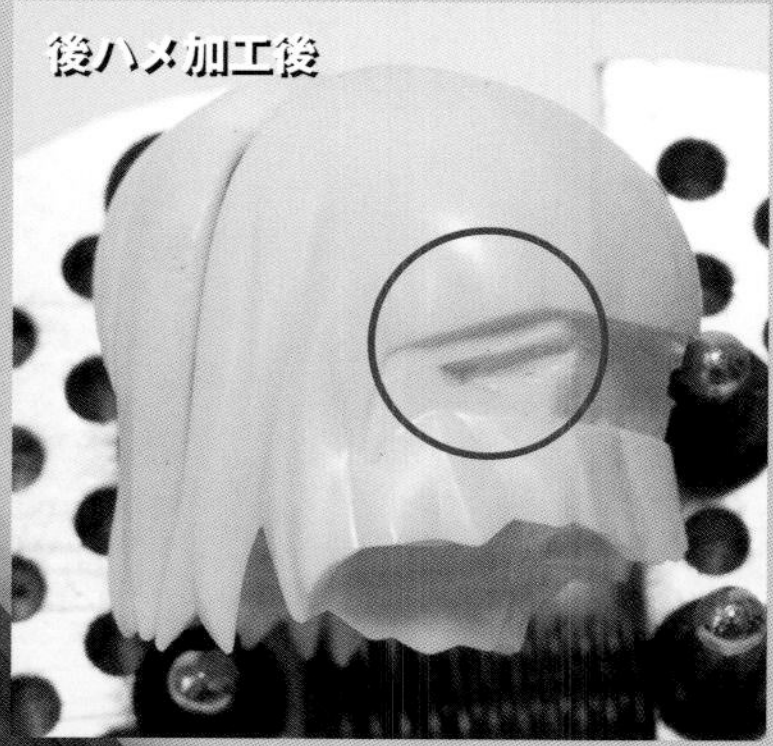

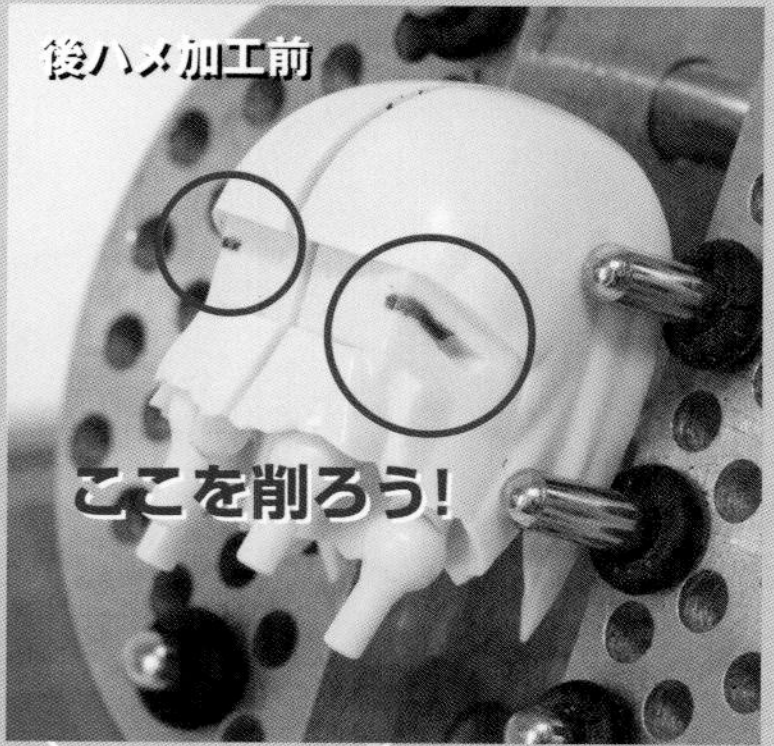

●後頭部のヘッドギアは中央に合わせ目が出てしまうので、合わせ目を消したヘッドギアを後ハメできるように加工するといいだろう。後頭部髪の毛パーツのダボはマーカーで黒く塗った部分を削り、後ろ側からスッと差し込めるようにした。先端の細いノミやタガネなどで彫るだけのカンタンな工作だ

●胴体側面の合わせ目を消そうとすると、ヤスリを当てすぎてモールドが浅くなり、場合によってはモールド自体が消えてしまうこともある。消えてしまったモールドは極細のタガネやデザインナイフなどで彫り直し、彫り直したモールドの凹みに紙ヤスリを当てて整えるのがオススメだ

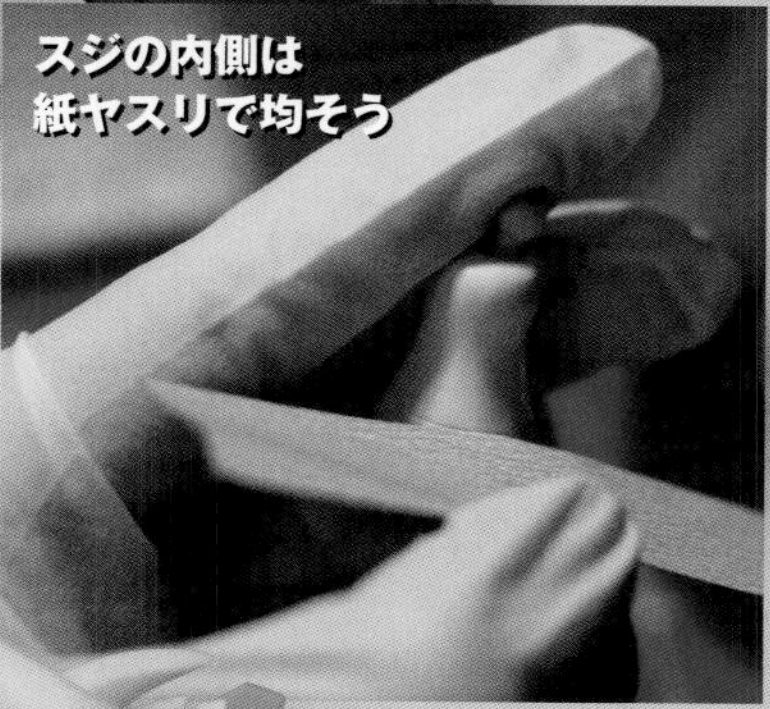

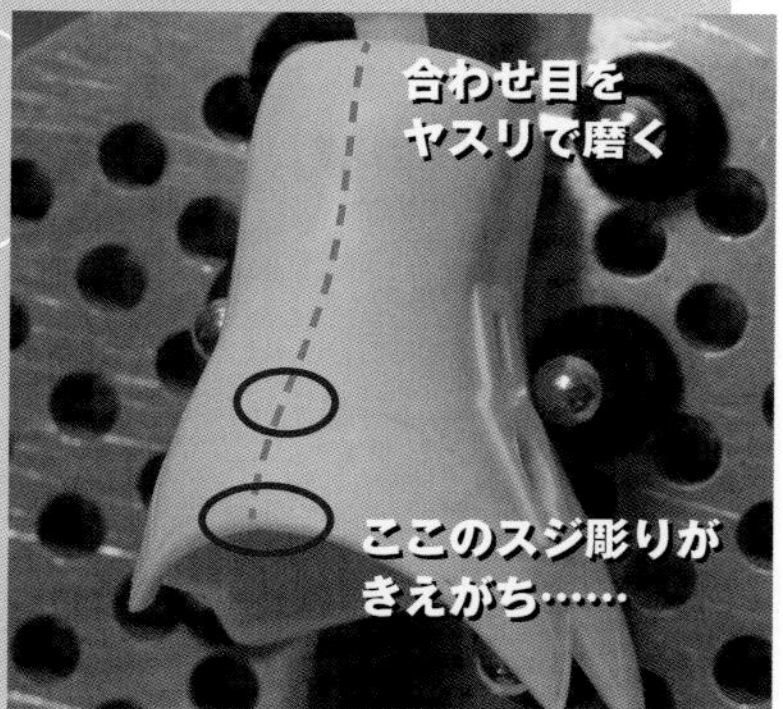

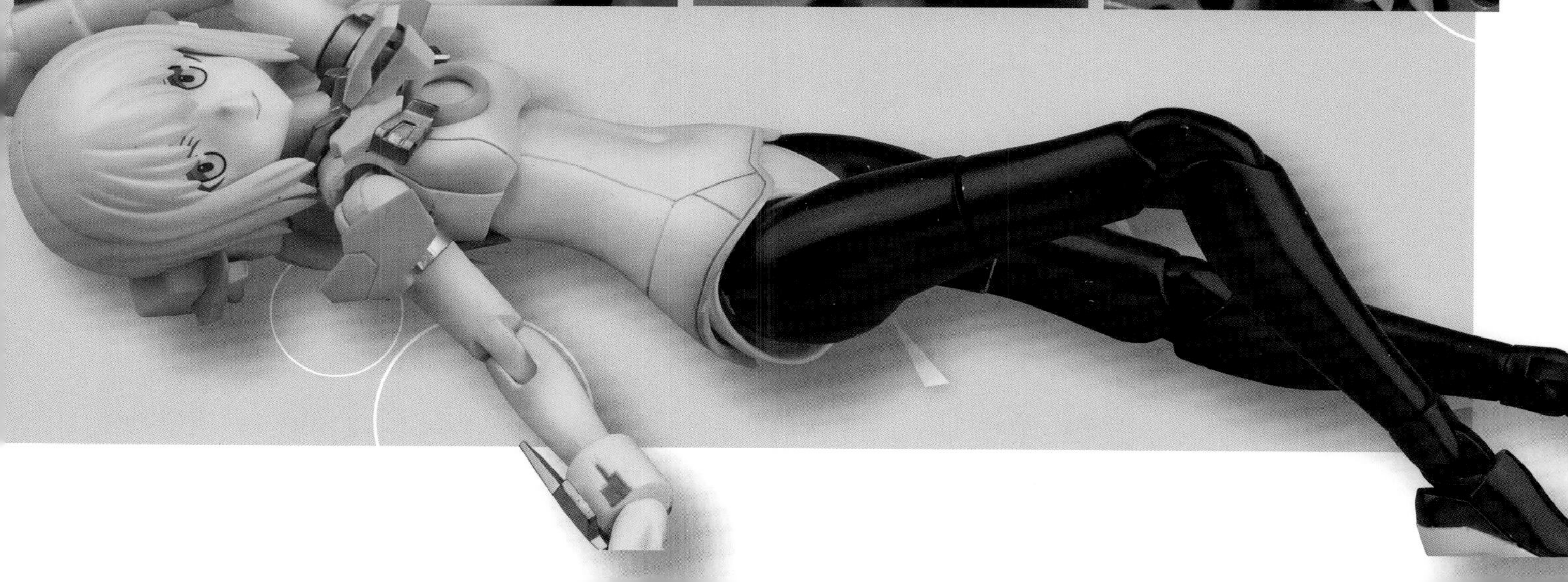

バーゼラルドの作例といっても、元キットはゼルフィカール ST Ver.を使用しています。このキットはバーゼラルドと比べ、後ろ髪が複数に分割されて可動するようになっています。このほかにも素体部分のこまかいところがいくつも改修されており進化を感じるキットでした。

◆工作

今回はバーゼラルドとして作るのでおもに髪パーツに手を加えました。ゼルフィカールとバーゼラルドでは頭部のアクセサリーが違います。なので今回は前髪のアクセサリー取付部をシアノンで埋め、ネオジム磁石を埋めました。頭部のアクセサリーには小さいスチール板を埋め込み脱着できるようにしています。また、左右のウサ耳状のパーツは0・5㎜真ちゅう線で接続、可動させられるようにしています。

胴体は合わせ目消しをすると埋まってしまうモールドがあるので、埋めて掘り直します。合わせ目を消し表面をキレイにしたら、元あったモールドにガイドテープを貼り、精密ナイフ等で軽くアタリをつけます。その後0・15㎜のタガネでモールドを彫り直し、紙やすりでモールドを整えます。紙やすりはV字に折るのではなく、切り出したエッジのみを使ってモールドの片面ずつ整えます。

◆塗装

カラーリングはアニメ版を参考にしました。脚部はいちど白く塗り、濃いめの肌色を塗り、クリアーブラウン系の塗料を重ねています。クリアー系の塗料を重ねてグラデーション塗装をするとパーツの乾燥前後で色に差がでるので気をつけましょう。

◆最後に

今回はゼルフィカールを使い、バーゼラルドを製作するという少し贅沢な作例でした。髪パーツや腰まわりなどバーゼラルドから進化しており、過去にバーゼラルドを作ったことがある人なら進化具合を楽しめるキットかと思います！ ■

●FAガール ゼルフィカールのキットで追加された装甲パーツは使わず、頭部の髪飾りはFAガール バーゼラルドのものを使用。接続はネオジム磁石を使った。ややこしいが、要点をまとめると「ゼルフィカールの素体を使ってバーゼラルドを作ってみた」作例である

アニメ

『フレームアームズ・ガール』そのさじ加減の秘密！

プロデューサー／杉山学
シリーズ構成／赤尾でこ

Model Graphix
2017年10月号
掲載

'17年６月に大好評のうちに全12話の放送を終了、大団円を迎えたアニメ『フレームアームズ・ガール』。プラモデルを原作に持つホビー系アニメであるにもかかわらず、主人公は模型にまったく興味なし、上手くなるつもりも全然ないという、あまりに異色な作品であったが、ファンからは「むしろそれがよかった」という賞賛の声が。それっていったいどういうこと？

同アニメのプロデューサー・杉山学氏と、シリーズ構成の赤尾でこ氏に、制作の裏側をおうかがいした。

インタビュー・文／にゃるら、MG編集部

◆「プラモデル」が原作のアニメ

——『フレームアームズ・ガール』のアニメは成立が非常に特殊ですよね。まず製品としてプラモデルが最初にあって、その反響を受けてテレビアニメが作られるという。普通、メディアミックスって映像作品と関連作品が同時に展開されるか、あるいはまず作品ありきで、人気に応えてプラモデルになるとかが普通で、今回は非常に珍しいケースですよね。

杉山学（以下、杉山） そうですね。でも通常のテレビアニメの原作に当たる、コミックであったり小説であったりという原作を務めているのがFAガールのプラモデルシリーズだった、というだけなんですよ。いちばん最初にアニメを作るぞ、と決まって赤尾さんにシリーズ構成をお願いする段階ですでにイノセンティアの発売も決まっていて。「どのFAガールまで登場させようか？」って話があがったときに、「そりゃ最新作のイノセンティアまで出しますわ」って話をしていたりしましたね。

——今日、赤尾さんにお訊きしたいのは、『フレームアームズ・ガール』にかぎった話ではないのですが、テレビアニメにおける〝シリーズ構成〟というお仕事はどんなことをされているのかな、というのをおうかがいしたいなと思っていまして。『フレームアームズ・ガール』は模型的要素の散りばめ方が絶妙だなと思っていたんですが、どのように作品を作っていったんでしょうか。

赤尾でこ（以下、赤尾） そこはプロがたくさんいますから（笑）。今回、シリーズ構成をするにあたって、まずコトブキヤさんに「私にはプラモデルのことがわかりません。なので皆さんにお願いがあります。〝プラモあるある〟を教えてください」とお願いしたんです。

杉山 そこからコトブキヤスタッフ総出で「パーツをなくすことあるよね」「踏んじゃうことあるよね」と、あるあるネタをどんどん羅列していったんです。それを作品のなかで赤尾さんが消化しておもしろい話にしました。

——メーカー全員でのネタ出しがあったんですね！ 自分の出したネタが採用されてアニメになるとうれしいでしょうね。

赤尾 アニメのシリーズ構成は「全部で12話やります」という枠組みが最初にあったとしたら、その12話のなかで「轟雷と（源内）あおの出会い」をどこに持ってくるか決めたりとか、「フレズ（フレズヴェルク）はどこで出すのか」という時期を決めたりとか、1話から12話までの段取りを考えるのが役割ですね。で、いちばん最初にざっくりとした大筋を考えるためにみんなでシナリオ会議をしていくうちに、原作がプラモデルっていうことの弊害が出てきました。というのも、それぞれのFAガールたちの喋り方とか性格とかが原作で決まっていないんですよね。プラモデルのFAガールたちには明確な設定はないですし、漫画みたいにお話の正解というかバイブルがあるわけではないんですね。なのでシナリオ会議のときに「じゃあスティ子（スティレット）はこういうツッコミをしました。それはアリかナシか」というのを判断するリーダーのひとりとして、全体を通してキャラがブレないようにそれぞれの性格や気持ち、お話の筋とかを見るというのがシリーズ構成の基本の役割です。

——要するに全体の流れを考えて筋を通すお仕事なわけですね。

赤尾 そうです。あとは担当する作品のなかにどれだけ気づかれず自分の趣味・嗜好を入れられるかっていうのが、シリーズ構成の醍醐味ですね！ 各話の脚本ライターだとそういうのを挿しこむのはさすがに難しいんですが、シリーズ構成は「絶対ドングリの話がしたい！」（第8話）ってできちゃうんですよね（笑）。

——途中、FAガールのお部屋を作る話があったじゃないですか（第4話）。アレはすごいおもしろいなと思いました。FAガールってプラモデルなんですけれども、ちょっとドール っぽい要素も持ち合わせていて。盛った削った改造した、

■アニメ『フレームアームズ・ガール』は、ひとりぐらしの高校一年生の女の子、源内あおの元に偶然フレームアームズ・ガールの「轟雷」が送られてくることからはじまるガール・ミーツ・ガールの物語。あおはホビー系アニメの主人公にもかかわらず、プラモデル製作にはまったく興味がないという、異色の個性の持ち主となっている

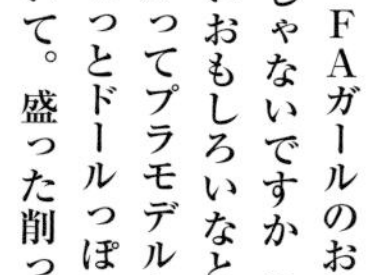

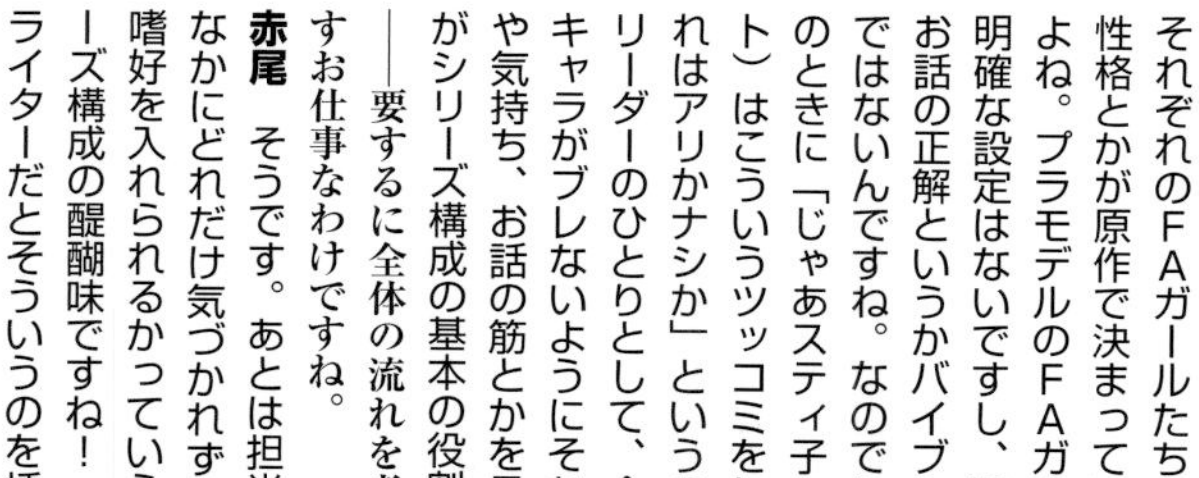

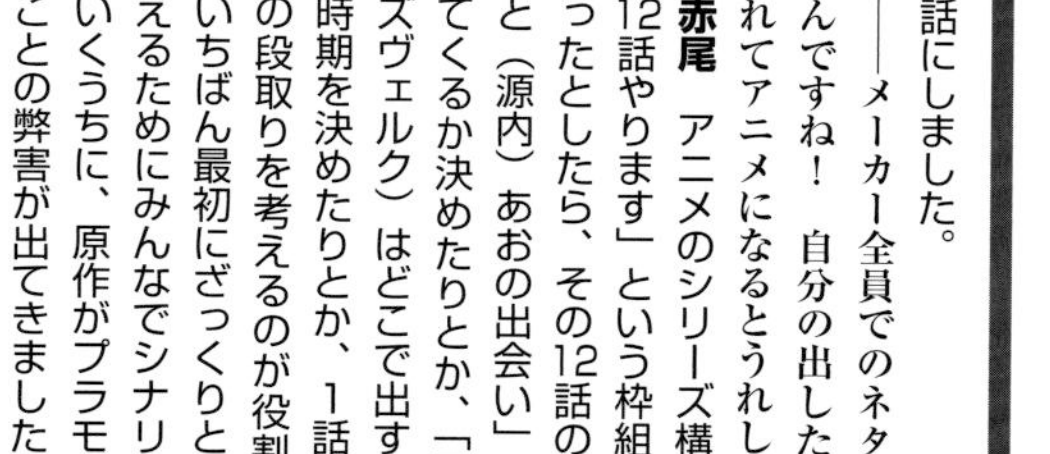

ではなく服を着せたり部屋を作ったりという遊び方をする人も多いので、そういう遊び方をアニメでも提示してきたのがいいなぁと思いました。アレは赤尾さんが提案されたんですか？

赤尾　もともと今回のアニメは「1クールで四季を全部やろう」と決めていたんです。春から冬まで全部やろうとなったときに、雨の日……つまり梅雨ですよ。梅雨時期にお家のなかで一歩も出ずに、FAガールたちと遊べることってなんだろうというところから発展して、じゃあお部屋を作っちゃおうということになったんです。FAガールたちはあおといっしょに生活していくわけですよね。なのでどっかそこらへんに自由にうろついているんじゃなくて、それぞれのお部屋とかがあったほうが、女の子の寮っぽいカンジが出せるかなっていうのもあってあのお話ができた。元は季節ネタですね。

――あぁそうだったんですね。つい「おぉ、ドール的な要素が取り入れられている！」という風に見てしまっていました。というのも『フレームアームズ・ガール』のアニメは、あくまで模型が主役のホビーアニメでありながら、そのさじ加減やネタの出し方が絶妙だったなと思っていたんです。プラモデルの作り方を取り上げたりもするけど、あおちゃんの性格もあってか「手をつくして、凝った作品を作り上げることこそが至高の楽しみ方である」というふうになってないのが見ていて気持ちいいな、と感じていました。

杉山　そうですね、あおの性格というかポジショニングって、要は赤尾さんなんですよね。赤尾さんはそもそもプラモデルの知識がありませんでしたし。劇中であおが轟雷のパーツを組み立てる際に「面倒くさい！」って言っちゃうシーンがありますが、あれは赤尾さん自身の本音が出ているんです。

――あのホビーアニメの主人公にあるまじき模型意識の低さは赤尾さんご自身がモチーフだったんですね（笑）。ちなみに赤尾さんは作業中に実際にFAガールを組んだりとかは……。

杉山　いや、キットでなく完成品を届けました。

赤尾　あお同様に、「面倒くさ～い」と（笑）。

――まぁ、あおの元にも素体は完成品で届いてましたからね。ところでアニメを観ていて気になったんですが、何故FAガールたちはバトルを行なうんでしょうか。劇中では「データ収集」以外に説明はなかったように思いますが……。

杉山　それについては、番組的にはホビーアニメなんでバトルさせなければ仕方なかったというところが本音です！

――ぶっちゃけましたね!!（笑）

杉山　じつは会議のときも、監督や赤尾さんと「ところでさ、なんでこの子たち戦うの？」という問答はありました。さらにお話を作るにあたっての大前提として「世界が滅んだりしません」「絶対的な悪者はいません」というのも決めていたんです。最後になって「じつはファクトリーアドバンス（以下FA社）は世界征服を狙っていたのだ！」とか、そういう要素はなしにしようと。

――終盤の展開で「じつはFA社にも悪いやつがいるのかな？」と思わせておいて、しっかり謝罪メールが届いてましたもんね。

杉山　しがらみは全部なしにしようとしていたんです。でもそうなるとバトルする理由がない、と。「世界を救わないといけない」「V-Pを守らないといけない」といった理由付けができないんですよ。じゃあ、なんでFAガールたちは戦うのか。しかも、模型作りとかを面倒臭がるあおが戦いたがる理由付けをしなくちゃいけないぞ、と。

赤尾　そこで私が「お金……では？」と提案したんです（笑）。

杉山　結局「そこだよ、パーツ組むのすら面倒くさいあおが、この子たちを戦わせないといけない理由ってバイト代しかない！」ってところに辿り着きました。

――アニメの世界ではそれなりにFAガールが普及しているんですか？　寿武希子ちゃんも認識していましたし。そのFAガールはプレイバリューのひとつとしてバトル機能が付いているということなんでしょうか。

杉山　轟雷などのASを詰んだ最新型以外に、プログラム入力式の一般型がいるんですね。おっしゃるとおり、プログラム入力式FAガールはバトルで遊ばれているんですけども、あの作品はあくまであおと、FAガールたちの話ということに集中させるという意味で、そうした要素は表に出しませんでした。

――アニメ化の企画としてはいつごろ動きはじめたんでしょうか。

杉山　'15年の終わりくらいですね。

――じゃあプラモデル製品でいうとスティレットが発売したくらいですか。すごい早い段階で動いてますよね。

杉山　本当に最初の段階、水面下で動きはじめたのがそのころですね。赤尾さんに「脚本お願いできないですか？」って話が行ったのは'16年かな。

赤尾　なんか寒い時期に道端でその電話を受けたのは覚えています（笑）。

杉山　轟雷が凄い人気だったので、「これでなにかメディア展開しないのか？」って話が上がったんです。僕はじつはもともとはアニメ化反対派で、過去の経験からも「いや、アニメは絶対に儲からないですよ」とずっと言っていたんです。もしそれでもやるのであれば「こういうやり方でウチが最大のリスクを取れば（製作委員会方式をとらず、コトブキヤ一社で制作資金をまかなえば）可能性はあります」というプランを提示したところ、「よし、それでやってみろ」と言われてプロデューサーをやることになったんです。商品をみんなに知ってもらって、「コトブキヤの商品は楽しい！」と思ってもらう方法って何かないのかなと思って……そんなころに監督が川口敬一郎さんに決まり、シリーズ構成として赤尾さんが決まって、そうやっていろんな才能あふれる方々との出会いが加速していって、相乗効果でどんどんおもしろくなっていったっていう。

――気づいたら皆さんもノリノリになっていたんですね。

◆FAガールたちの個性

――ほとんどのFAガールが「こういうキャラクターになったかぁ」としっくり来たなかで、いちばんビックリしたのはバーゼラルドなんですよ。プラモデルだとクールなイメージがあったんですけど、すっごい無邪気な子になっていて。それにほかのFAガールに比べて小さいんですよね。あれはなぜなんでしょうか。

杉山　キャラクターの設定を固めていく際に、俗にいう主人公属性の轟雷、ツンデレとしてスティ子がいて、と決めていったときに妹系のキャラクター、いわゆるロリっ子がひとりほしいよね、となりまして。元絵のイメージからは少し離れるんですけど、そうした役割を果たしてもらう子としてバーゼに白羽の矢が立ったんです。それで、カラーリングについても元気っ子ってカンジに変更しました。そのような感じでキャラクター設定にこだわりを持ったスタッフのアイディアをさらに搾ったものをベースにアニメのキャラクターたちが完成していきました。

――アニメのキャラクターでいうと、迅雷は黒いほうが登場しましたよね。プラモデルでは赤いカラーの迅雷が先に発売されて、黒い迅雷はバリエーションキットというポジションだったのに。

杉山　キャラクター設定担当スタッフの提案で、「タイミング的にこれから商品が発売されるのは黒のほうだから、黒を登場させよう！」と決まったんです。でもじつはその数ヵ月後に「しまった、失敗した！」と気づくことになるんですよね……。

――失敗、ですか？　どういうことでしょうか。

杉山　FAガールの（アニメで動かすための）3DCGモデルができあがったので、全員並べてみたんですよ。そこで気

■アニメにはスティレットやマテリア、バーゼラルドといった、モデラーにはおなじみのFAガールたちが次々と登場。各話、FAガール同士のバトルを繰り広げる。バトルは「データ収集のため」とされているが、そこは作品の主題ではないためか、あまりガチっとした設定は決められていないようだ。轟雷やスティレットはキットと合わせた武装状態のほか、マテリアなどと合わせたデザインの素体も登場した

づいたんです。「あっ、青とグレーのキャラばっかり！　赤色のキャラいない！」って……。

赤尾　轟雷も茶色だしバーゼは白基調だしで全員顔を合わせたときの色調が地味で二度見しましたよね（笑）。「みんなないる？」って。

杉山　迅雷はくノ一……忍者的なキャラ特性を持っているということもあって、地味な色のほうがよいだろうと思っていたんですけどね。

赤尾　並べてみたらちょっと地味でしたね～。「いまから赤に変えられないかな？」って言ってみたりもしましたよね！　「いや～無理ですねぇ～……」って。

杉山　「もう3DCGモデルできちゃってます！」って。

——プラモデル先行のコンテンツなので、あまり製品発売タイミングに合わせた展開はしていないのかなと思っていたんですが、そこは思っていた以上のダイレクトマーケティングだったんですね。販促といえば第3話のマテリア姉妹登場回はM.S.Gのヘヴィウェポンユニットがたくさん出てきて「販促回だ！」って雰囲気があって、モデラー大喜びの回でした。

杉山　コトブキヤから「M.S.Gを登場させたい」というオーダーをしたんですね。「登場させたいヘヴィウェポンシリーズリスト」みたいなものを作って。デザインがカッコいいものとか、使い方がカッコいいものとかを、監督や赤尾さんに写真含めて提案して、「こういう武器をこのキャラクターに使わせたい」っていう話をする「武器担当」のスタッフがいたんです。「この武器はこう変形して、こういう風になるんです！」説明を全部作って手渡して。スティ子が使っている武器は剣になったり弓になったりする、みたいな説明をするんですね。

赤尾　なんかやっぱり、武器の資料だけハイ、と渡されても「ほぅ……？」って迷うわけですよ。「こうやって、こうやって、こう！」って説明されても、「ほぅ……それでコレとコレはどっちが強いのかね？」ってなったりして（笑）。ただお話の流れ上、「ここで轟雷がふんばって、スティ子がこうなって」っていうふうにやりたい流れはあったので、「こういう戦いになるような武器の使い方を教えてください」っていう風に、バトルシーンはその武器担当の方といっしょに作るみたいになってましたね。「ここでこういうこと言わせたいんで」「ってことは手前でピンチですかね」みたいな。

——あの回で轟雷が使うリボルビングバスターキャノンは武希子が作るじゃないですか。最初は気づかなかったんですけど、あの武器の塗装で使われていた「フレームアームズ・カラー」のラスティブラウンとストレーキンググレーって放送当時は製品化されていない、アニメ独自の塗料だったんですよね。あの塗料はどういう流れで登場することになったんでしょうか。

杉山　あの回の脚本は赤尾さんではなく、柿村イサナさんが書いているんですけれども、模型に凄い詳しい方で塗料についてもこだわりがあったんですね。「武希子ならこういうことやるだろう」と。スミ入れやウェザリングをするんだったら、グレーとブラウンとを混ぜるだろう、と。で、そのネーミングも全部してくださったんですよ。完全にその方のホビーライフがそのまま出た脚本でしたね。いってしまえばグレーとレッドブラウンなんですけど、それだと語感がそれっぽくないかな、ということでもっと付加価値のある言葉を作ってもらったんです。

——ガイアノーツはフレッシュとかの「フレームアームズ・ガール　カラー」を製品化しているからか、アニメ劇中でも実際に売っているビンがそのまま登場していますよね。それ以外の模型用の接着剤とかもなんとなく見たことあるデザインでありつつ、メーカーはFA社でしたね。「あっ、FA社はFAガールだけでなくて接着剤とかも発売しているのかあ」なんて思ったりしたんですが……なぜ「コトブキヤ」ではなく「FA社」という架空の会社だったんでしょうか。

杉山　これも赤尾さんに前もってお願いしていたんですが、「コトブキヤの名前は劇中には出さないでくれ」というのを絶対条件として掲げていたんです。監督からは「コトブキヤ出していいですかね」とか「コトブキヤへ行っていいですかね？」というありがたい話もあったんですけど。

赤尾　川口監督はすごい登場させたがってましたよね。

——あえてコトブキヤを登場させなかったというのはなぜなんでしょうか。

杉山　『フレームアームズ・ガール』という番組自体がコトブキヤの提供による番組なので、それで劇中にもコトブキヤを登場させちゃったら少々しつこいだろうと。カレーにハヤシライスを乗っけるようなもんで、ちょっとそれはしつこいでしょ。だからこれはもう「お話のなかのお話にしましょう」っていうことにして、距離感を取りたかったんですね。コトブキヤでやっているのはもうみんなわかっているから、リアルなコトブキヤと非現実的なアニメとの距離は離しておいたほうがいいと思ったんです。唯一、コトブキヤが登場するのは雛人形が出てくるところですね。お部屋作るときに「壽屋謹製」って書いてあるのが出てくるんですよ（第4話）。あとは要素としては「コトブキニッパー」と「寿武希子」ですよね。〝ヤ〟までは言っていないんです。

——アニメの舞台はコトブキヤ本社がある立川ですけど、FA社の社屋はコトブキヤ……ではなかったですよね。

杉山　建物のモチーフとしては立川市役所ですね。で、コトブキヤのビルは第1話で煽りで映るんですけど、FA社ではないんです。立川にある、どっかのビル。ただのビルがなんか俯瞰でバーンって見えるだけなんです（笑）。

◆模型製作が上手くならなくてもいい？

——『フレームアームズ・ガール』って男性キャラクターが登場しませんよね。アレはなぜなんでしょうか？

赤尾　まぁいらないでしょ～（笑）。元から人間キャラ自体をどうしようかっていう話があったんですけど。FAガールがもうけっこうな人数いるので、これだけでお話ができちゃうんです。ただ、私自身がそのプラモデルについて詳しくないと。そういったところで話を作るにあたって、「プラモデルを知らない女の子がプラモデルの女の子に出会った」というイメージができあがったんです。そこで「人間キャラを作ってもいいですかねぇ」って。なので「男の子を出す／出さない」という以前に、男の子要素が必要だと全然思ってなかった。なんなら、（源内）あおひとりでもよかったんですけど。武希子ちゃんも加わって。

——『フレームアームズ・ガール』ってプラモデルのお話なのに、最終的にあおちゃんが「うわぁプラモデルって楽しいなぁ！」って方向には全然行かなくて、FAガールと仲良くなって「人生が楽しい！」ってカンジのお話でしたよね。ホビーアニメって通常、主人公がいままで知らなかったホビーを手に入れて「なんて楽しいんだ！」って新しい世界を知る、みたいなのが王道パターンなのかな？って思うんですけどそのあたりも変わってますよね。

赤尾　そういえば、そうですね。

杉山　轟雷改を組んで「上手にできたよ」って言ってたくらいですかね。あおが喜んでいたのは。

赤尾　そうですね～。……そうですね！ホントだ。たぶん私のなかで「女の子同士のお話」というか「ガール・ミーツ・ガール」の話だと思ってお話を書いていたんですね。書いててあまりにプラモデル要素がないときには、スタッフの皆さんから「おいおいプラモデル」って言ってもらえてたんですけど。もちろんバトルのときはFAガールたちが武器使ったりするんですけど、基本的に私のなかでは女の子と女の子の話。あおと誰かが、

■アニメとプラモデルとで大きな違いがあるのはバーゼラルド。無邪気な性格に合わせてほかのFAガールより背が縮み、カラーリングも暖色系になっている。迅雷はキットとしては赤いカラーリングのものが初出だが、アニメでは後発のカラーバリエーション「Indigo Ver.」をモチーフにし、眼帯を身につけた忍者キャラとして登場。伊達政宗が好き

轟雷と誰かが会うことによって話が生まれていくイメージで作っていったから、最終的にあおが「プラモデル～！」ってならなかったんだと思います。

——先程もお話ししましたけど、『フレームアームズ・ガール』って模型のアニメなのに、「模型が上手くなること」について、それほど推奨しているわけじゃないのが、かえって見ていて心地がいいなと思っていたんです。模型誌としては、やはり「どうすればかっこいいプラモデルが作れるのか」という技術を伝えていきたいという気持ちはもちろんあるんですけど、ただ模型作りというのはあくまで趣味なので、趣味って別に現状が楽しければ上達することは決して必須ではないじゃないですか。『フレームアームズ・ガール』はまさに「楽しいこと」を目指してお話が作られていたのがとても幸せで、そのあたりは赤尾さん効果なのかなって思っています。そういえば赤尾さんのこれまでの経験から来ているのかもしれませんが、全体的に女児アニメっぽさがありましたよね。土日の朝や平日の夕方に放送されているような。1話が半分ずつ、ABパートでエピソードが分かれているのもそれっぽいですよね。

赤尾　アレはいちばん最初にみんなで「やりたいこと！」って案を出したときに、ものすごい数が出てしまいまして。こんなにもたくさんの案をどうするのってなったときに、「もう全部やる？」ってことで15分15分で1話を作っていけばいいじゃないかってことになったんですね。それに、30分フルに使っての長尺のお話にすると、楽しいお話だったとしても、どうしてもどこかで一回「哀しいできごと」とかのアクシデントが起きて、そこから盛り上がって戦って最後にハッピーエンドになるとか、どうしても一回「負の感情」の積みをしなくちゃいけなくなるんです。でないと一本分のアニメって飽きちゃうんですよね。でも、「この子たちがすごい悲しがったりとかするところ見たい？」って思ってしまったんです。だったら、A・Bパートで「イェイ！」って話が2回あればいいんじゃないの？　ということでああいった構成になりました。

——確かに全体的に負の要素がぜんぜんなくて小気味よい話になっていましたもんね。フレズヴェルクが少し悪役を担っていましたけど、それもホントは良い子ってかたちになっていましたし、最後はみんなと歌うくらい仲良くなってますもんね。FA社にも悪人はいない終わり方になってましたし。

◆哀しい涙はいらない

——最終回のBパートはFAガールたちのライブなどで構成されて、哀しい余韻を感じさせない作りになっていましたね。

赤尾　話の終わらせ方として、一回涙を見せたいなと思っていたんです。轟雷の感情の成長の物語なので。「泣く」っていう感情をやらせたいなって思っていたんですけれども、そのとき監督から「たとえばお別れするとしても、楽しいお別れにしたい」って提案があったんです。私はけっこう哀しいお別れでもいいかなって思っていたんですけど、「いや、やっぱり楽しいほうがいい！」っていうお話からはじまって、じゃあ何が「楽しいお別れ」というものなのかと。何があれば楽しいのかとって考えた結果「そりゃライブでしょう！」っていうことになったんです。歌はもうすっごい前から作っていて。監督から「シナリオを書くときにこれだけは」って言われたのが、キャラクターソングとして歌を作るんじゃなくて、あの12話のお話のなかで生まれた曲として話に組み込みたいから、そのときの「あおへの感謝」だったりとか「仲間に出会えてよかった」という気持ちを全部テーマにした歌にしたいと。曲として独立しているのではなくて、あのお話のなかで生まれた曲として完全に組み込みたい。だから1曲1曲バラバラでなく、すべてを絡ませたい！　と。そこだけはやりたいとおっしゃっていたので、じゃあ、このときのバーゼラルドたちはこう思ってるし、轟雷はこう思っているし、アーキテクトやフレズヴェルクも最近仲間になったけどこう思っているはず、というお話の流れを組み込んでいって、劇中でモノローグ的なセリフを入れたのもそうした全部曲ありき、シナリオありきというのを合体させていった結果なんです。それにあれだけ盛り上がったら、どんなお別れでも「やりきった感」が出るかなと。ああいう素敵なイベントを過ごしたら、お別れをしても「また会えるよね」って気持ちになるかなって思って、あの最終回になりました。アニメにはいろいろ「最終回のパターン」ってあるじゃないですか。『フレームアームズ・ガール』ではみんなが旅立つわけですけど、あれはやっぱり中心には、あおと轟雷のガール・ミーツ・ガールの物語であるというのが私のなかにあったので。轟雷の感情が、あおやほかのFAガールたちと接触することで育っていく。感情的にはいちばん赤ちゃんに近かった轟雷がいて、変な言い方ですけど「感情的にはみんなより劣っていた」あの子がいちばんあおとの絆を結んでいるって姿を見たときに、ほかのFAガールたちも自分だけの唯一無二の存在がほしくなるんじゃないかなと思ったんです。だったら旅立とうぜって。だから何かを捨てるお別れじゃなくて、何かを得るために旅立っていくっていうイメージで12話のBパートを書いたらああなりました。

——決してネガティブな方向にはいかない、しんみりさせないっていうのが『フレームアームズ・ガール』のカラーなんですね。

赤尾　そうですね。轟雷が一回回収されて「うわぁ～……」ってなっても（第12話）、すぐペロって帰ってくる。あのカンジ、あれがいいんだと思います。私の（シナリオを書いていた）想像よりも早かったですよ。アニメ見てて「早ッ!?」ってなりましたもん。あのカンジがよかったんでしょうね。■

赤尾でこ●あかおでこ／歌手・三重野瞳が脚本や構成作家の仕事をするときの別名義。『プリティーリズム・オーロラドリーム』や『赤髪の白雪姫』、『ふらいんぐうぃっち』、『あまんちゅ！』のシリーズ構成など多数の作品を手掛ける

杉山学●すぎやままなぶ／株式会社壽屋 戦略開発部部長。アニメ『フレームアームズ・ガール』にもプロデューサーとして名を連ねる

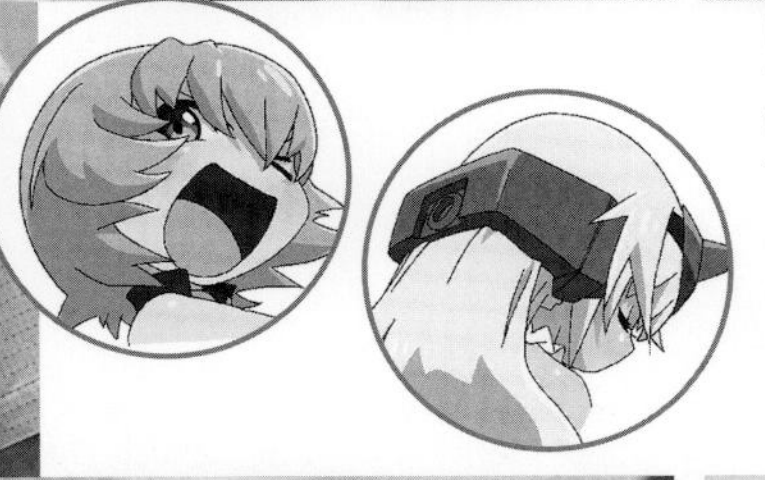

■FAガール同士、そしてFAガールたちとあおとの心の交流（と成長）の物語。源内あおのクラスメイト、寿武希子は、もともとはコトブキニッパーのイメージキャラ。あおとは反対に、こちらはプラモやフィギュアが大好きという設定だ。ちなみにニパ子もゲストキャラとして第6話にアルティメットニッパーともども登場。ファンを驚かせた

FAガールのバーゼラルド。アニメでの天真爛漫で可愛らしい活躍もあって、すでにひとり自宅にお迎えしているよというモデラーも多いことだろう。ただ、アニメを見ているとほかのFAガールと比べて少しばかり小柄に描かれていることに気づくけれども、キットの背は他製品よりも低くはない……。そこで、「アニメ版のプチかわいいバーゼがほしい！」と思っているマスターのために、このたびバーゼラルドロリっ子化計画が始動した！　バーゼファンは要注目!!

特別授業

小柄でロリッとかわいい“TVアニメ版”のバーゼラルドをお手軽に作ってみよう。

◀アニメのバーゼラルドはいつもニコニコ笑っている、天真爛漫でイタズラ好きな子。常にマイペースに行動し、放っておくとすぐに寝ちゃったりする。自分のことは「ばーぜ」と呼び、発言もほかのFAガールたちに比べると少し幼いカンジ。そのためかアニメ劇中でも、あおの家に居候しているほかのFAガールたちよりもひとまわり小さく描かれている。この“ちょっと小さいカンジ”が可愛いんだよ！　ねぇ？

キットはこんなん

縮めたぜ!!

フレームアームズ・ガール バーゼラルド
コトブキヤ　ノンスケール
インジェクションプラスチックキット
発売中　税込6930円（税別6300円）
製作・文／**KU_MA**
Photo by KON(figuephoto)

FAガール素体の手・足・胴を少しずつ切り詰めてロリっ娘ボディを作るのだ

■ＦＡガールの体を縮めるためにはパーツを切断する必要があるが、精度を損なわないためにもパーツは極力キレイに切断したいところ。オススメは超音波カッターでスパッと切ることだが、所持していない場合はエッチングソーでもOK。各部の左右を均一に短縮するためにノギスで測りながら作業するようにしよう。また、どこか１ヶ所を縮めるのではなく、腕や脚、首や胴など体全体をバランスよく、違和感ないように少しずつ短縮することが成功の秘訣といえる。

このTipsは比較的難易度が低めでほかのFAガールにも応用できるので、みんなもぜひいろんな娘をロリっ子化してみてくれい！

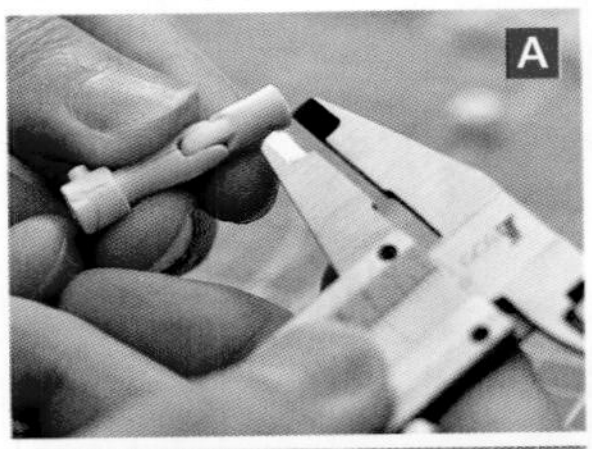

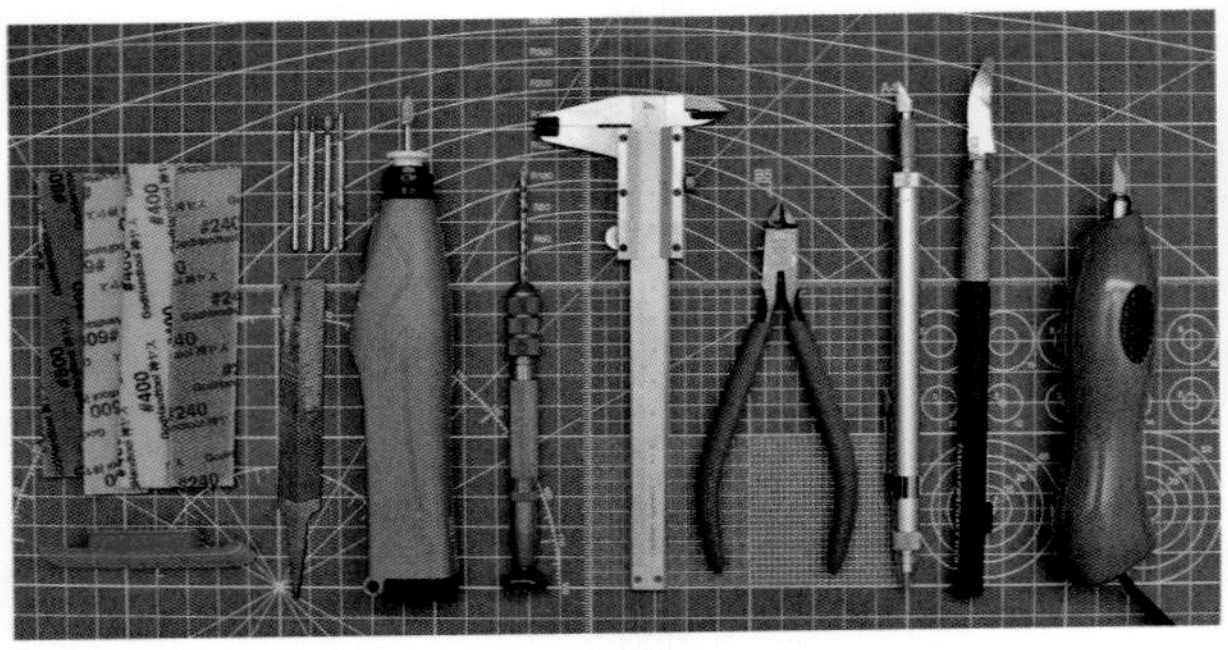

▲KU_MA氏がFAガールの工作に使用する工具一覧。左からゴッドハンドの神ヤス（スポンジヤスリ）、その下がタイラーヤスリ、目立てヤスリ、リューター、ピンバイス、ノギス、アルティメットニッパー、デザインナイフ、エッチングソー、超音波カッター

Aノギスでパーツの切除する部分の幅に軽くキズをつけるとアタリになるぞ
B工具のほかにもこんなマテリアルを用意しておきたい。左からウェーブの瞬着硬化スプレー、ガイアノーツの瞬間カラーパテ（フレッシュ）、瞬間接着剤、流し込み接着剤、マスキングテープ。瞬間カラーパテはフィギュアの肌色に近い色なのが便利だ

モモの短縮

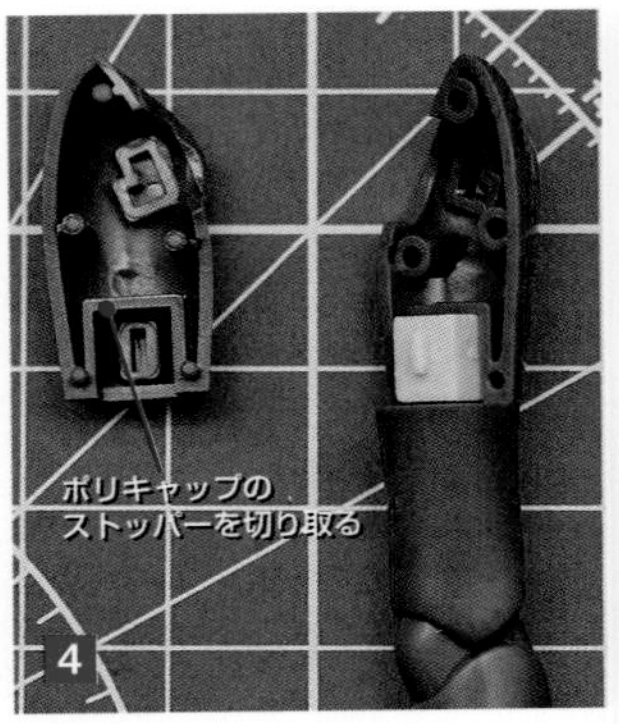

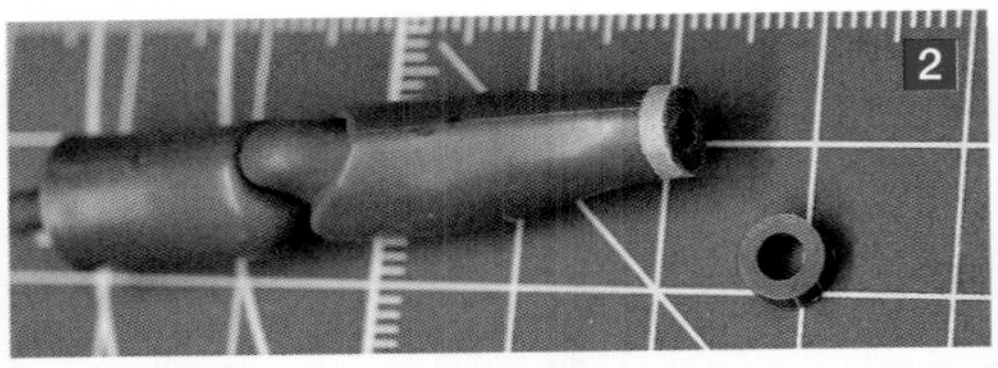

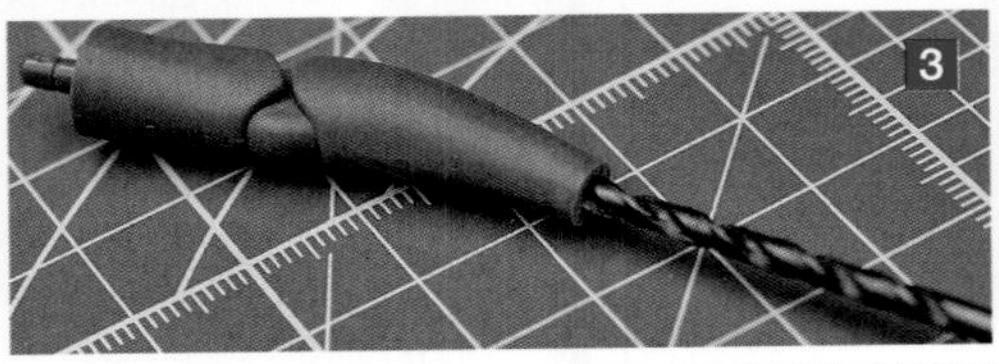

足首の短縮

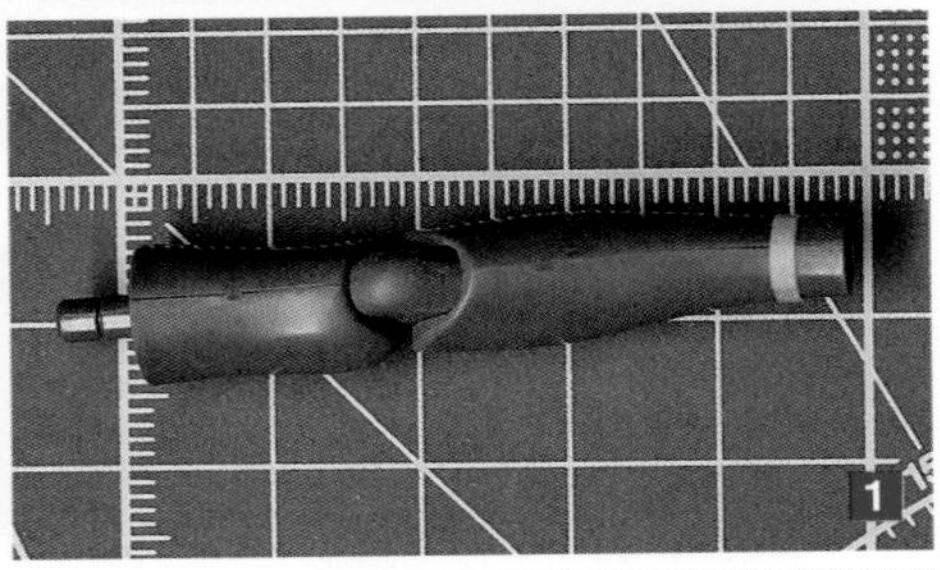

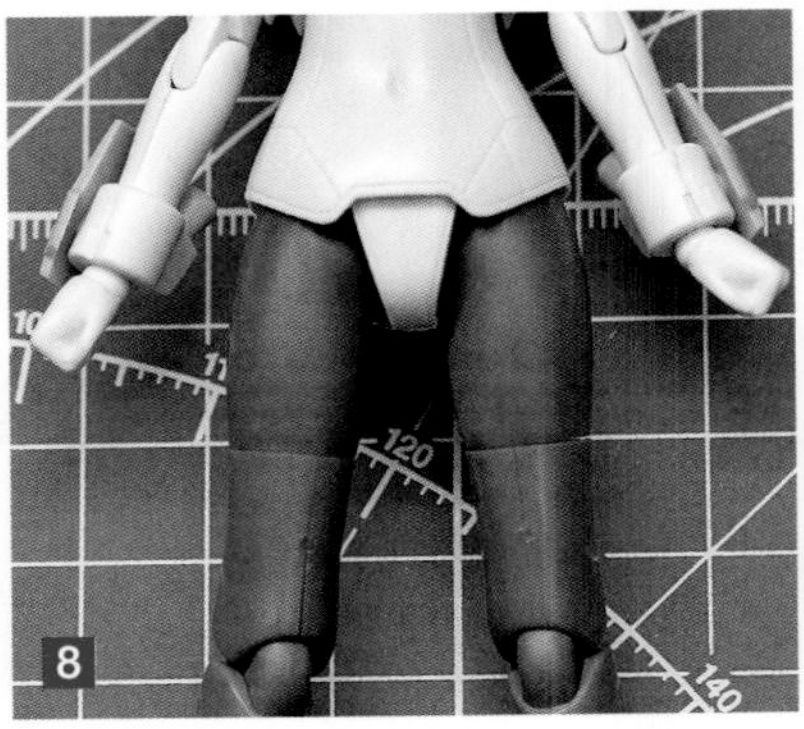

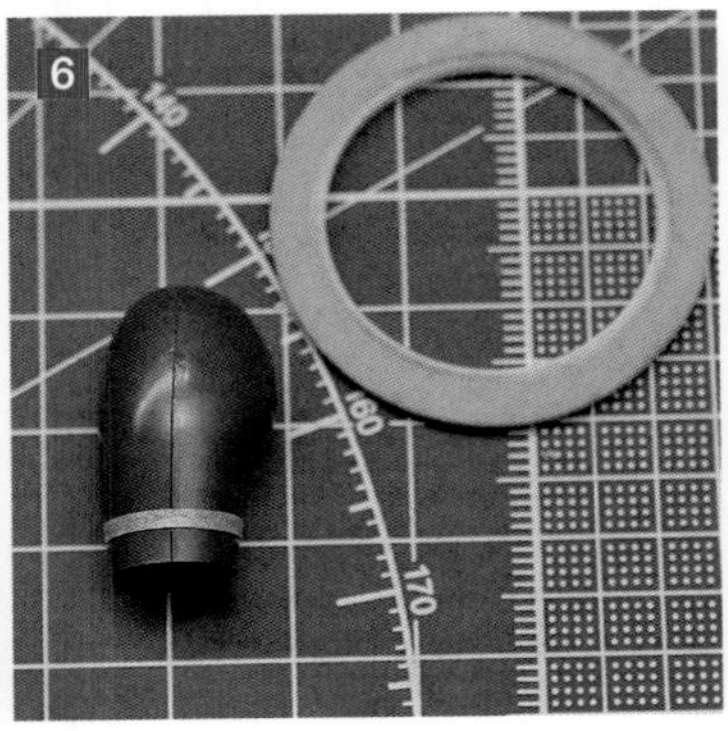

アニメのバーゼ、無邪気で可愛いですよね！　アニメを見てキットを購入された方も多いのではないかと思います。しかしキットとアニメ版ではカラーリングや身長、表情など随所に違いがあります。もちろんキットのままでもとっても可愛いのですが、今回は「アニメのバーゼ」を作るということで身長や表情、カラーリングを変更しアニメ仕様のバーゼラルドを製作しました。

◆足首の短縮

基本は切って縮めます。まず足首の切断する部分に細めのマスキングテープを巻きます。足首パーツの端から2㎜付近にテープを巻き、このテープをガイドにしてエッチングソーの刃を入れます。足首の軸穴が残るように切断すれば中心軸がズレないので、切りすぎないように注意（画像**1**、**2**）。パーツが奥まで差し込めるように軸穴をピンバイスで深くしておきます（画像**3**）。

◆モモの短縮

モモの内部にはポリキャップがあるため切断の前にまずポリキャップの位置を変更します（画像**4**）。そしてポリキャップの爪を切り取り奥側に接着。ポリキャップを固定するためランナーの切れ端をストッパー代わりにしつつ、モモの奥に詰めて接着します（画像**5**）。

パーツ同士の歪みを防ぐため、切断する際は前後のパーツを組み合わせた状態でカット。マスキングテープでカット位置のアタリを付けます（画像**6**）。切断後はヤスリで断面を平らに処理しましょう（画像**7**）。

また、モモを詰めると脚との太さにズレが出るため、削って擦り合わせます。おおまかにナイフで切り落とし、平らなヤスリで角を落とし最後にスポンジヤスリで曲面を均します。脚全体の曲面がキレイに繋がるよう意識して全体を整えます（画像**8**）。

◆胴体の加工

バーゼラルドは他製品と比べるともともと胴体が短いのですが、ヒールを履いているので全高に差がありません。短い胴体を

◆カラーレシピ　○本体／ホワイト　○本体脚部／マッドブラック　○髪／ニュートラルグレー＋サンドイエロー＋ホワイト
○武装基本色、カフス／ホワイト＋パープル　○武装、一部本体／ダークイエロー＋ホワイト　○バーニア、一部本体／オレンジイエロー＋ホワイト
○フレーム／ダークグレイ＋ホワイト、ダークシーグレー＋ホワイト　いずれもGSIクレオス Mr.カラーを使用

胴体の加工

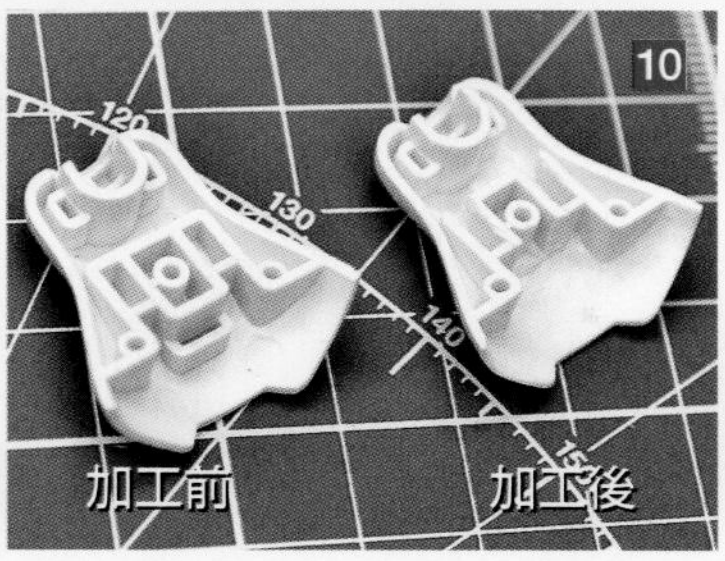

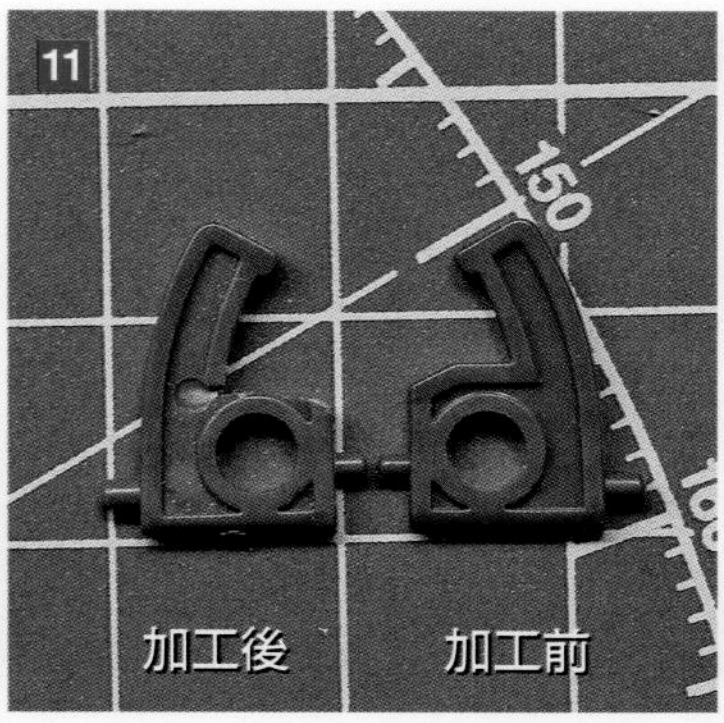

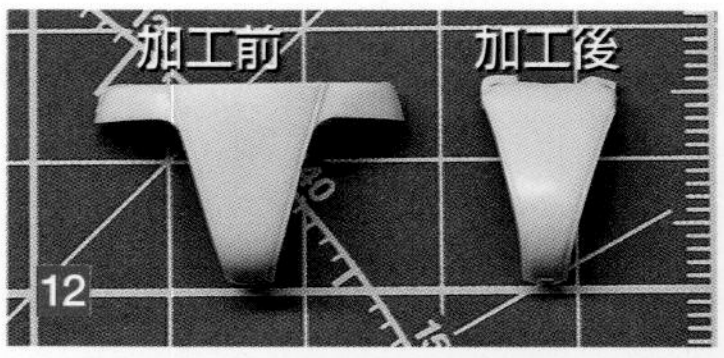

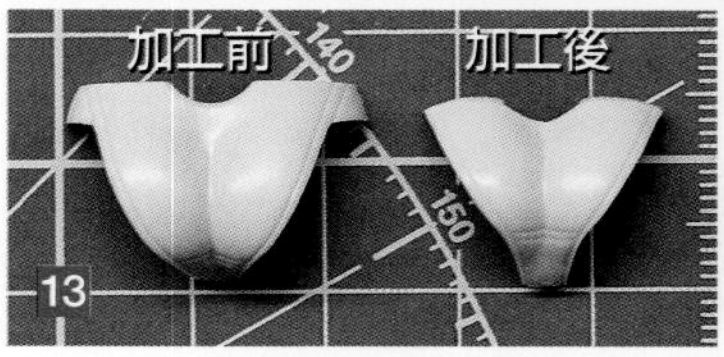

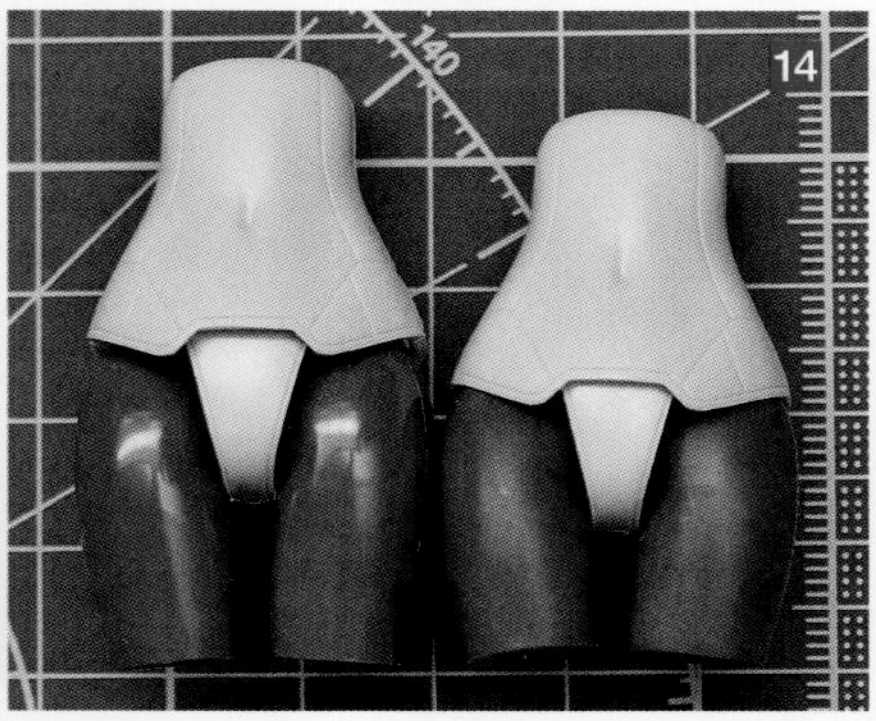

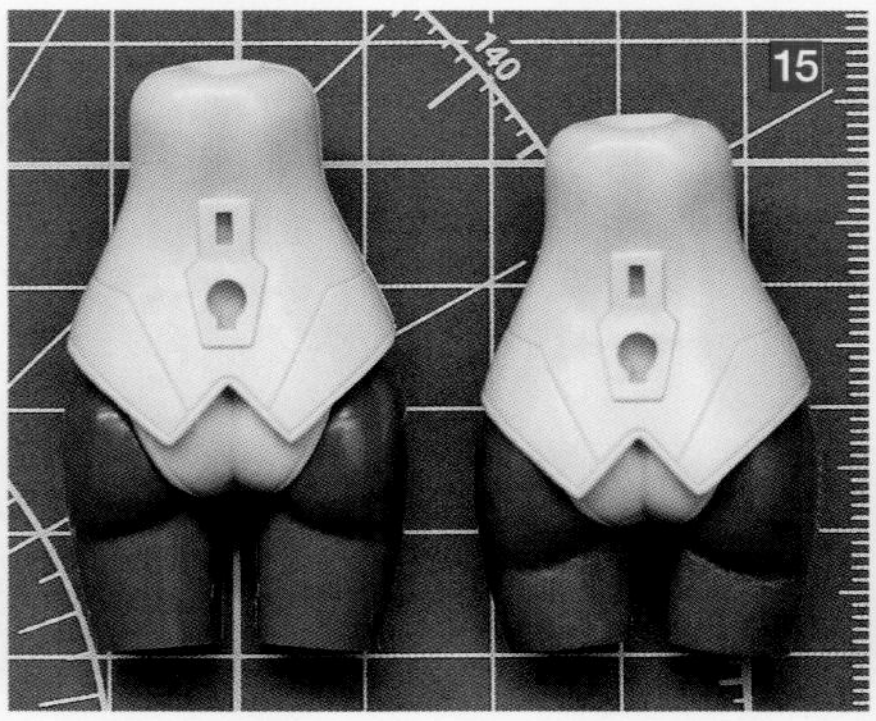

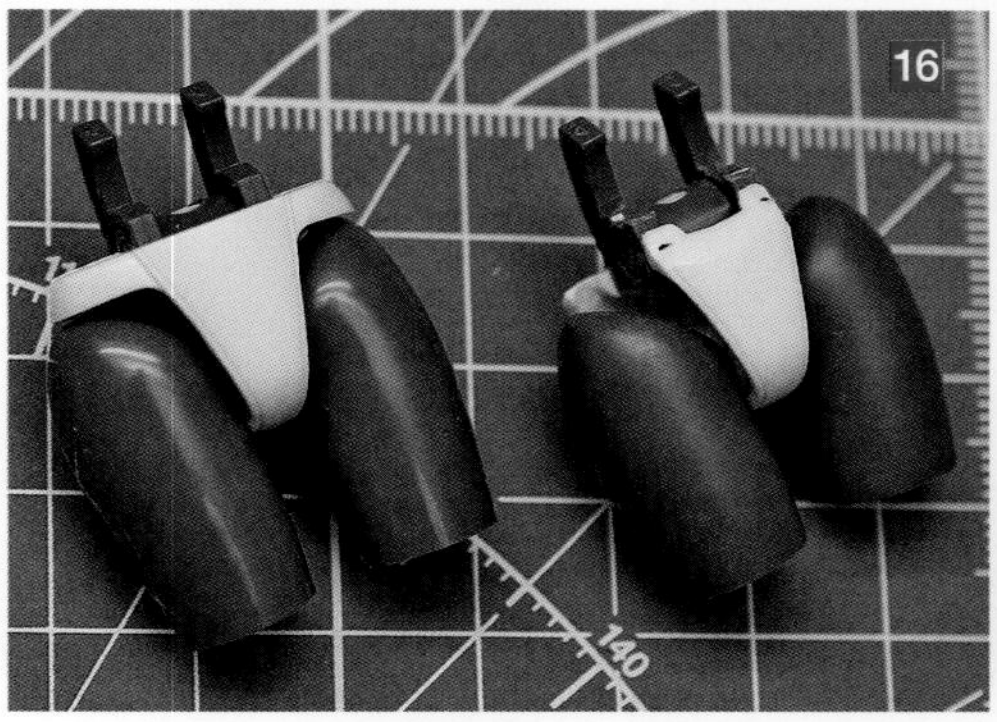

顔、首の加工

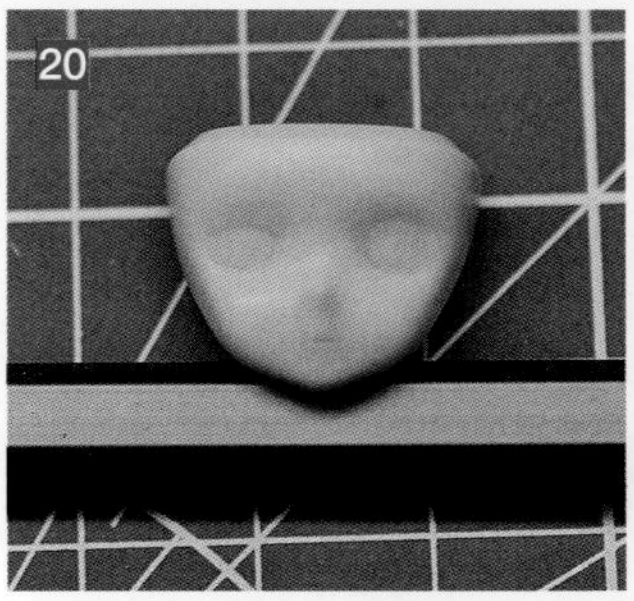

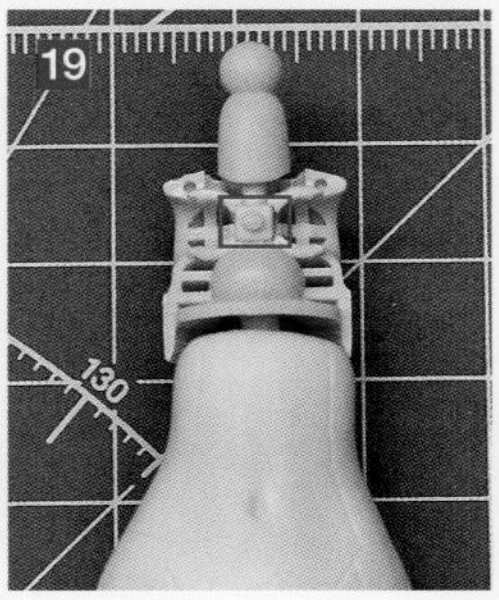

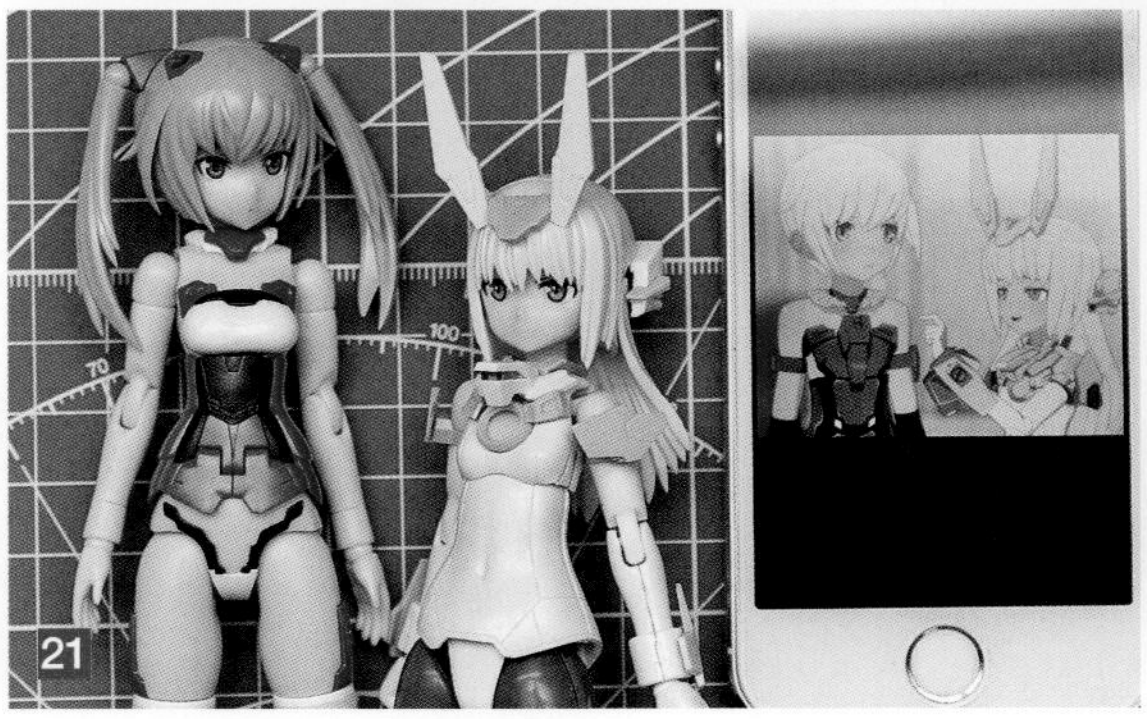

腕の短縮

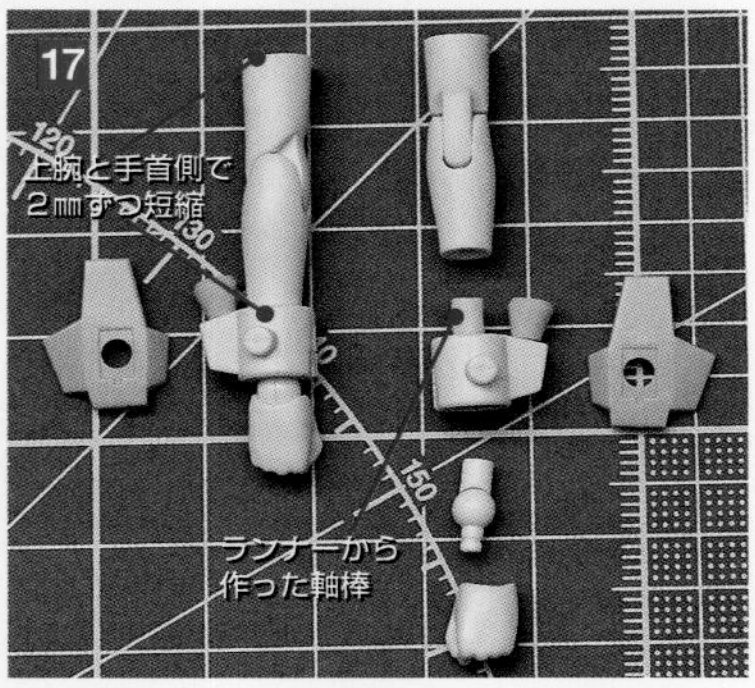

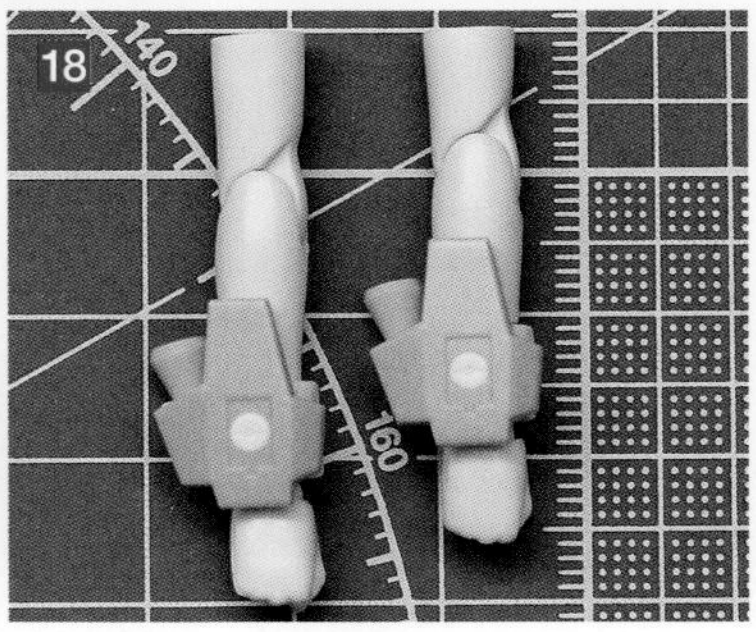

さらに短くしてしまうとボディラインが崩れそうなので、腹部と股関節まわりのパーツの分割部分を詰めボディラインが崩れないように胴体を短くしていきます。

まず股関節の引き出し機構を詰めます。スライドするパーツの壁となっている部分を切除（画像9、10）。次はスライドするパーツの上面をカットします（画像11）。乱暴にカットすると破損の恐れがあるので慎重に。

そしてボディスーツの干渉する部分をカット（画像12、13）。ボディスーツの縁の部分が干渉するのでモールドをガイドに切除します。そのままではパーツの厚みで胴体がきちんと組めないので、ボディスーツの表面と胴体パーツの裏をリューターで削り込みます。パチ組みと比較すると、ボディラインを崩さず短縮することができているのがわかります（画像14、15、16）。股の隙間が詰まり腰のラインが整いました。

◆腕の短縮

まずカフス（手首）を切り離します（画像17）。切り離したカフス断面にランナーで軸棒を新造。手首関節の軸穴があるため貫通させないよう穴を開けてから差し込み、接着します。腕は上腕と手首をそれぞれ2㎜短縮。手首の穴を調整し軸をつけたカフスを差し込みます。カフスを接着せず軸可動させると多彩なポージングができるようになります。パチ組みと比較すると、腕の印象を変えずに短縮できました（画像18）。

◆顔、首の加工

首ボールジョイント軸の四角い部分（赤く囲った部分）をカットし軸を深く差し込んで接着（画像19）。

首周辺を干渉しないように削り、仕上げに肌色瞬着パテで合わせ目を消しました。顔は目のまわりを削り瞳を大きく造形、顎を削り顔立ちが幼く見えるようにしました。口元や眠り顔は肌色瞬着パテで造形。肌色パーツはすべて成型色を活かします（画像20）。最終的な目安としてはこれくらいの身長差になればOKです（画像21）。■

FRAME ARMS GIRL BASELARD
KOTOBUKIYA Non-scale Injection-plastic kit
Modeled and described by KU_MA
Photo by KON(figuephoto)

身長短縮で自分だけの
アニメ版バーゼラルドに。

BASELARD

NON-SCALE
FULL ACTION
PLASTIC MODEL KIT

アニメ『FAガール』は放送終了したが、これからも新しい女の子たちが続々とデビューしていく。彼女たちにどんなアプローチを仕掛けていこうか、考えるだけでワクワクしないだろうか。PVC製フィギュアと違い、加工しやすく自由な発想を盛り込めることが彼女たちの最大の魅力。派手な改造をしなくとも、作例のように体型や表情を変えるだけでもぐっと愛着がわくので、みなさんも思い思いに“プラスチックな彼女たち”と楽しいホビーライフを過ごしてみては？

●作例は小柄化工作のほかに、表情もアニメ調に置き換えた。豊富に用意した各種表情パーツは顎を削り、口まわりや目の造形を削り込んで瞳を大きく描いている。成型色を活かしたかったので造形の際は肌色瞬着パテを活用し、瞳はすべてアクリル絵の具で手描きした。最後にチークとハイライトを入れ、全体にMr.カラーGX スーパークリアー UVカットつや消しを吹いて完成

●表情パーツを用意してあくび顔も再現（かわいい）。髪はアニメ版を意識してキットのディテールを瞬着パテで埋め、髪の房を大きくしてから前髪を短くカットして整えている

●エンディングとかアイキャッチでバーゼラルドが持っていたマスキングテープとかね、筆とかね！　こういう模型机の上にある小道具と組み合わせた絵を見ちゃうとね、モデラーなら真似せずにはいられない！

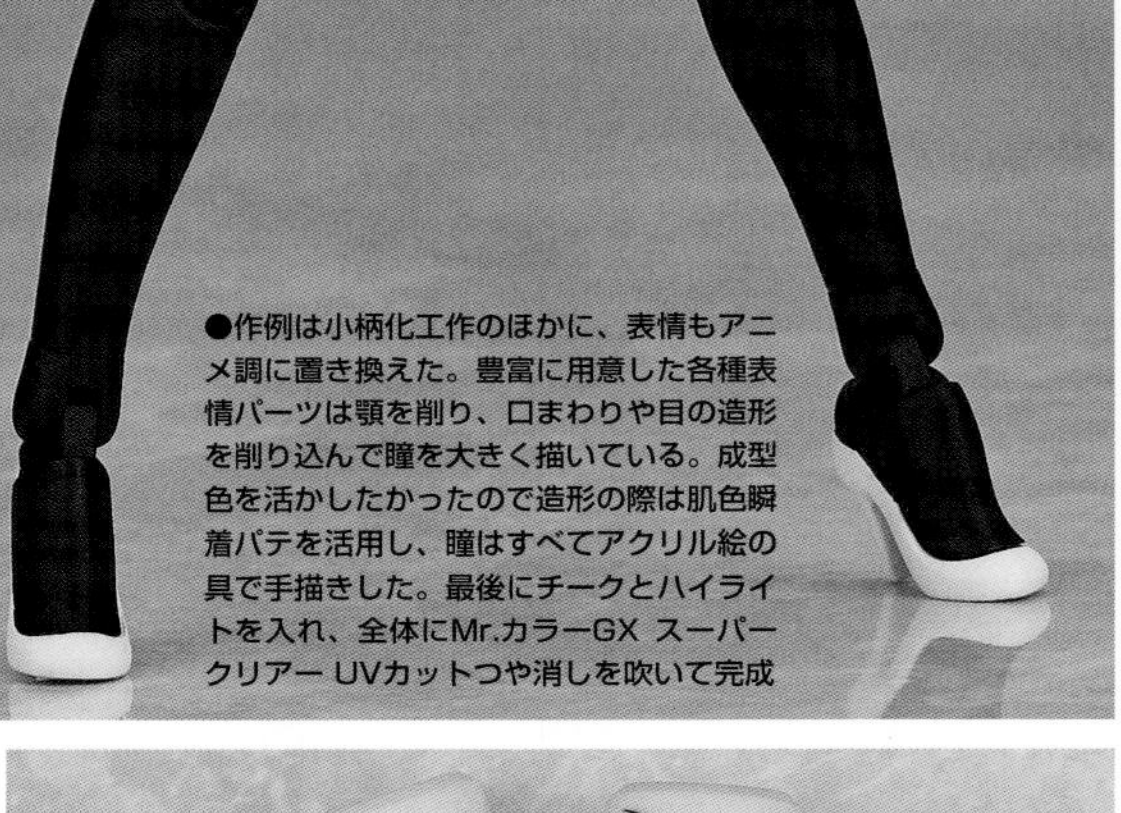

「メガミデバイス」と「フレームアームズ・ガール」がコラボレーション!

バーゼラルド Animation Ver.
1/1 インジェクション
プラスチックキット
'21年5月発売予定
予価税込6930円（税別6300円）
出典／アニメ『フレームアームズ・ガール』

柳瀬敬之氏デザインによるフレームアームズを、島田フミカネ氏が美少女化した「バーゼラルド」。アニメ版最大の特徴である低身長を再現するためにメガミデバイス仕様で商品化! 素体は浅井真紀氏設計による〝マシニーカ〟を採用、驚異の可動範囲でポーズが自然にキマるぞ。

頭部はフレームアームズ・ガール ゼルフィカールから前髪を変更した新規パーツでバーゼラルドを再現、素体部分はほぼ新規パーツとなる。武装部分は既発売のバーゼラルドと同じものが付属する。これでもう切った貼ったしなくてもアニメ版のちっちゃカワイイバーゼが手に入るのだ! ■

●FAガールシリーズのバーゼラルドとメガミデバイスコラボレーションキットを並べてみると、大きさの違い以外にも太ももや腕の長さに違いがある。ウサミミなし状態の前髪パーツが付属する

フレームアームズ・ガールデザイン：島田フミカネ
フレームアームズデザイン：柳瀬敬之

プラスチックな女の子

Model Graphix presents

How to get along with Plastic-model Girls

フレームアームズ・ガール編

アクション フィギュアではない！ 美少女プラモデル なんですよん

コトブキヤ　ノンスケール
インジェクションプラスチックキット
発売中　税込5280円（税別4800円）
製作・文／**フクダカズヤ**

FRAME ARMS Girl GOURAI
KOTOBUKIYA Non-scale
Injection-Plastic kit
Modeled and described
by KAZUYA Fukuda

Model Graphix
2015年8月号
掲載

プラスチックモデルをアレンジ製作！

轟雷

'14年9月の全日本模型ホビーショーにて発表されて以来、キャラクターモデラーを中心に注目を集めていた『フレームアームズ・ガール 轟雷』が'15年5月末、ついに発売された。「美少女プラモデル……？　楽しみ方がわからないし射程外かな」と言うなかれ。切って貼って削って盛って！　で理想の女の子を追求していくその果てしない道のりは、他ジャンルでは味わえない魅惑的かつ背徳的（？）な魅力があるのです。本作例はあまり美少女っケがないMG流に、キットを活かしつつイメージを変える方法を伝授します

フレームアームズのスピンオフ

コトブキヤが展開している『フレームアームズ（以下FA）』は、全身に3㎜ジョイントを備えた共通素体に装甲や武装を施すことで多様なデザインとなるロボットをリリースしているシリーズ。

切った貼ったする技術がなくても、パーツの組み換えによって自分なりのロボットが作れるというハードルの低さが、ビギナーモデラーも含めた幅広い層から高い支持を得ているシリーズだ。

そんなFAから突如派生したスピンオフシリーズがこの『フレームアームズ・ガール（以下FAガール）』。キャラクターデザインは『ストライクウィッチーズ』などで活躍しているメカ少女界の人気デザイナー、島田フミカネ氏が担当している。

これまでも「KOS - MOS」や「イカ娘」など、美少女キャラクターのプラモデル化に積極的であったコトブキヤ。その時点での集大成といえるFAガールは凄まじい勢いで店頭から姿を消し、多くのFAガール難民が発生するなどその勢いは圧倒的。いまもっとも注目すべき美少女プラモデルといっても過言ではないのだ。

（『月刊モデルグラフィックス』'15年8月号掲載）

▲このゴツゴツしたFA 轟雷が
◀島田フミカネ氏によってショートカットの美少女へ。瞳は塗装済み、ボディスーツの柄はデカールが用意されている

※フレームアームズ公式Twitterアカウント(@faman_type001)の発言より

話題の美少女

武装やヘアースタイルをアレンジしてFAガールを自分色に染め上げるのだ!

Step1: 武装を考える

▶というわけでまず印象を変えるには装備する武装を取り替えてみるのが手っ取り早い。コトブキヤからはライフルやミサイルや刀など多様な武装パーツがリリースされているので、「どれがウチの娘には似合うかな……」とファッション感覚で選んでみよう

Step2: 髪をイジってみる

▶◀武装を固めたら次はヘアアレンジを施してみよう。今回はエポキシパテを用いてポニーテールとしてみたが、「女の子の髪の毛のスクラッチビルドなんか無理だっつーの!」という方はキットの髪の毛パーツをニッパーやナイフで散髪してみたり、カラーリングを変更するだけでも印象が大きく変わるはずだ

「戦車の汚し方はわかってもオンナノコのオシャレなんてわからん……」なんて紳士諸兄、女性はアクセとヘアアレンジで見違えるんですよッ!

Step3: いっそ服とか着せちゃうのもアリ!?

■ここまで来るとほとんどプラモデルというよりドール趣味の世界となってくるが、お人形用の布製お洋服を着せちゃうのもアリだ。フレームアームズ・ガールのスケール表記はノンスケールとなっているが、だいたい1/12スケールのフィギュアと同じサイズ。このスケールはいま現在美少女アクションフィギュアでもっとも普及しているサイズであり、着用可能なサイズの布製の衣装もラインナップが充実してきている。また、ワンダーフェスティバルやAK-ガーデンといった模型イベントでもアマチュアディーラーによる1/12スケールの衣装が頒布されているので、そちらから見繕ってみるのもアリだ。FAガールを機会に、新たな趣味に目覚めちゃうかも……?

▶今回はコトブキヤM.S.G(モデリングサポートグッズ)シリーズより、「ガトリングガン」と大型マニピュレーター「インパクトナックル」、さまざまなシールド・装甲材がセットされた「フリースタイル・シールド」を使用。「ガトリングガン」は轟雷本体の手と、背中から伸ばしたインパクトナックルのふたつの手で保持するというかたちを取った

●ナックル型の大型懸架アームと、その体躯とはあまりに不釣り合いなほどこれまた巨大なガトリングガン。このゴツい武装と、髪をポニーテールに結わえた軽快な美少女の組み合わせ。これがギャップ萌えというものである。●インパクトナックルは接続部を差し替えることで、腕にも装着可能とした。自立も問題なく可能だ

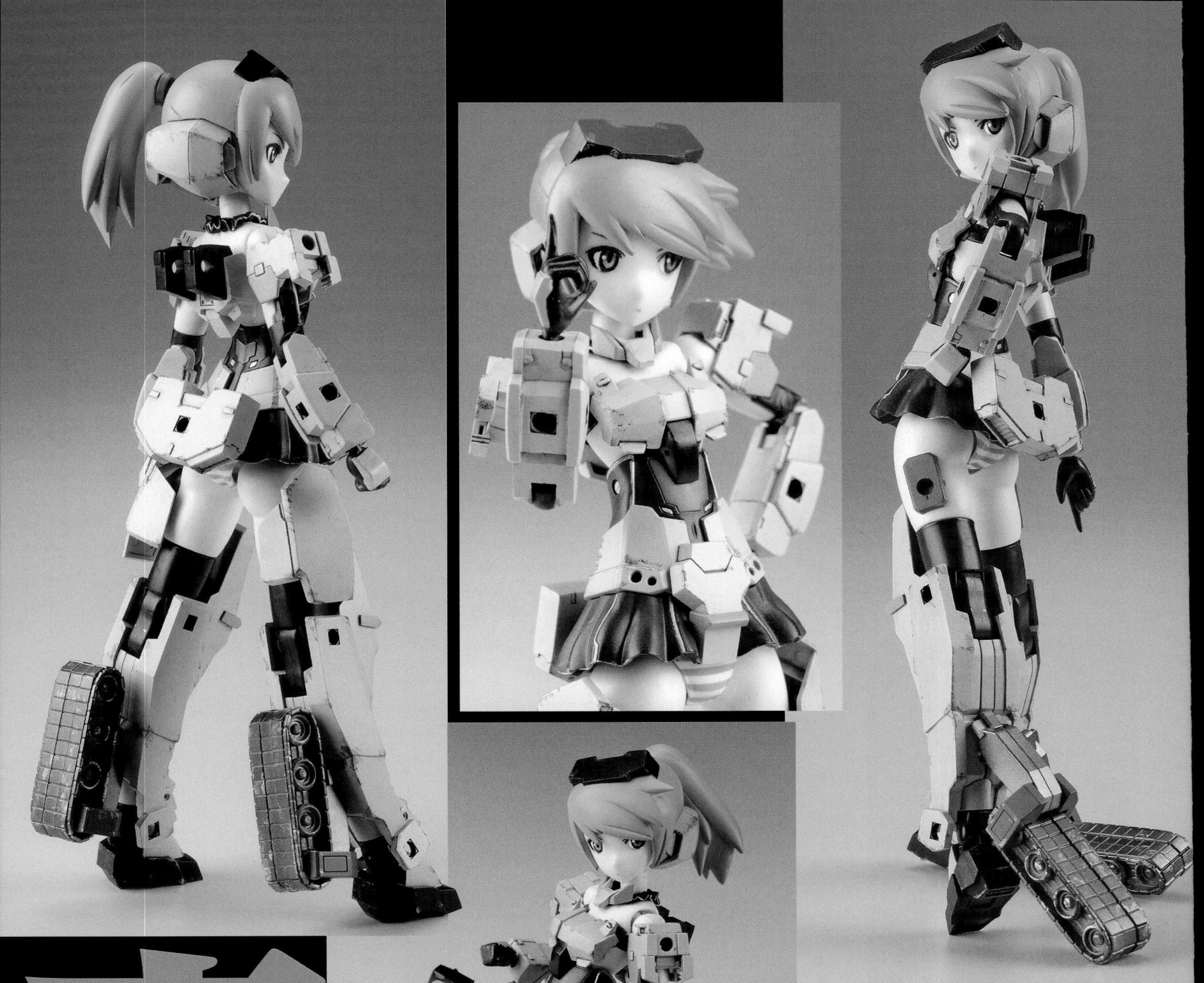

●各種ウェポンをゴツ盛りにした臨戦態勢でカッコよくキメるのもいいが、もちろん女の子であることを楽しんでもいい。FAガールはインジェクションプラスチックキットながら、造型面でも妥協なく作られており、とくに脚部は背面から見た際のお尻の造型や、オーバーニーソックスが食い込む太ももの表現など非常に見どころが多い。股関節が目立たないのもうれしい設計だ。●ぺたんと座り込んだ、いわゆる「女の子座り」も可能だ。よりアクション性をもとめる場合はスカートパーツを切り欠いたり、軟質素材に置き換えてみてもいいだろう。●ボディスーツは製品にもグレー調のものや、メカニカルな意匠が施されたもの、レース柄のものなどが封入されているが、今回は塗装で、ブルーストライプ柄のボディスーツとして仕上げた。完全に余談であるが、一度編集部に納品されたのちに「やっぱり縞の一本一本が太かった気がする!」というフクダの主張により、一度帰省。再塗装を施されて再納品された

轟雷

フレームアームズ・ガール……大人気のようですね！　メカ+少女の製品は数あれど、本キットもメカメカしい造形と質感を感じさせる肌の造形のメリハリがすばらしいです。おなじくコトブキヤからリリースされている、銃火器や格闘用兵装など武装をラインナップしたシリーズ、「M.S.Gウェポンユニット」が無改造で使用でき、手軽にカスタマイズ遊びができるのも強い魅力ですね。今回はそれらウェポンユニットと組み合わせて遊んでみましたよ。

轟雷本体はストレート組み、目立つ部位のみ継ぎ目を消しています。ウェポンユニットはインパクトナックルとガトリングガン、フリースタイル・シールドをチョイス。

小柄な女子が大型の武器を持つ鉄板装備で、射撃装備と格闘装備を楽しめるように組んでみました。ナックル装備格闘時のみ、ABS板で作った自作のジョイントパーツが必要ですが、武器類もほぼストレートに組んだのみです。

「髪型……変えてみちゃう……?」と担当編集者からのリクエストがあったので（笑）髪の動きが表現できそうという理由からポニーテールを選択し、エポキシパテでスクラッチビルドしました。おでこに位置するゴーグルというかヘッドマウントディスプレイ（?）は前髪よりも上に配置し、キットとの違いを強調してみました。

塗装については基本カラーを明灰色とし、市街地戦仕様をイメージしつつ、キャラクター性を強調した配色に。装甲の下は金のパイピング処理されたキャミソールワンピースを着ているようなイメージで処理してみました。

……と、ここまでがじつは4月までのお話！　一度納品したのですが、その後ボディスーツ部分の塗装が気に入らなくなってしまい、「すみません。ボディスーツを塗りなおしたいのでウチの娘、返してもらえませんか……?（キリッ）」と担当編集に連絡し、再塗装いたしました。

美少女に汚し塗装はしたくないなぁ……、と思いながらも、迷った末にウェザリングも追加してみました。■

轟雷

製作者／フクダカズヤ

●FAガール轟雷が発売して間もないころに弊誌で製作・掲載した作例。製作は依頼してないのに自作のオプションパーツを作ってきたり、奇抜なアイディアに富んだギミックを仕込んだりするのが得意な遊び心に満ちたモデラー・フクダカズヤが担当。本作例でも一度納品したあとに「やっぱりボディスーツの縞の太さが気に入らない」と言い出したので編集部より返却→リペイントして再納品、と妙なこだわりを発揮している。作例は轟雷本体の形状はほぼ活かしつつ、髪型を変更してキャラクター性の変化を狙った。武装パーツはどちらもM.S.Gを使用。ガトリングガンとインパクトナックルという人気の高いアイテムを装備させることとなったが、ただふつうに装備するだけでなくインパクトナックルを轟雷のサブアームとし、ガトリングガンを保持させるという方式をとっている

MG作例第1号

輝雷

製作者／MOMIZI

◀▼FAガール轟雷をFA用の別売りオプションパーツと組み合わせた例。胸部や八重歯などにもご注目

製作者コメント：この輝雷ちゃんは、1年前のFAガール轟雷発売時からちまちまと手を加えてきた作品でして、いろいろと新しいことに挑戦するきっかけをくれた思い入れのある作品だったりします。装備しているユニットはFA輝鎚とエクステンドアームズ05をベースとし、重装甲ながら高機動なカンジを目指してみました。輝雷ちゃんのほうは、'15年1月の公式コンテスト『FAGU2015』に参加した後も手を加え続けて、気が付けば褐色、八重歯、重装甲(意味深)と自分の趣味丸出しな子になっちゃいました。とくに胸部装甲と前髪の加工は、普段メカ物を作ってる身としては新鮮な体験で、有機的な丸みや流れを作る楽しみを知ることができました！　新しいことに挑戦するきっかけをくれたFAガールをファンとしてこれからも応援していきたいと思います！

FAと組み合わせ 本体にもアレンジを

FAガール コレクション

FAガールの楽しさはカスタマイズ性の広さにもある。こちらではその楽しさをよりわかりやすく伝えるため、過去の作例や読者から集めた多様なFAガールを紹介しよう。これらの作品のアイディアを吸収し、あなただけのFAガールに挑戦してみていただきたい。

Model Graphix 2016年8月号掲載

マテリアT スティレットF

製作者／こんふぉーこ

動物をモチーフに

◀モチーフとなる動物を決め、各種ジャンクパーツの組み合わせや、カラーリングで意匠を凝らした例。メガネのコーデひとつとっても性格の違いがわかるのがおもしろい

製作者コメント：こだわりはなんといっても眼鏡、ケモ耳、ケモ尻尾です。“赤フレーム眼鏡のキツネ”と”緑フレーム眼鏡のタヌキ”を作って並べたいという衝動に従って作成した2体ですが、それらしく見えたでしょうか。私はスクラッチビルドが苦手なので、いろんなキットからパーツを探して、ぱっと見のインパクトやキャラクター性が出るように模索しています。とくにケモ耳は第一印象を決める重要ポイントなのでパーツ選びに悪戦苦闘ですが、イメージが形になったときは毎回とても喜びを感じています。勝気でツンデレっ子なキツネと、ゆるふわでちょっと地味子なタヌキというそれぞれのイメージが伝わったらガッツポーズです

スティレット宇宙仕様"セイバー"

製作者／ぐっさん

スティレットをパワーアップ！

▲既存FAとミキシングビルドを行ない、FAガール スティレットをアレンジ。全体的なフォルムのまとまりのよさがお見事

製作者コメント：FAガール スティレットを宇宙戦闘機をイメージして改造しました。モチーフにした戦闘機はお気に入りのゲームに登場するものです。メカ部分は主にFAコボルド、シュトラウス及びFAスティレット系のパーツを使用しています。全体の「メカ」と「ガール」部分の比率が自分好みとなるように注意しつつ、モチーフを意識したパーツの配置や組合せを決定しました。「これだ！」と思った組み合せを見つけ出すのには時間がかかり、苦労しましたがカッコよく仕上がったのではないかと思っています。ガール部分の肌や関節部はほぼ成型色のままですが、胸とボディスーツだけはこだわりたかったので、自分好みに大型化し肌面積も増やしてみました

シュラーヴリク

製作者／ファジー

スケールモデルとミキシング！

●スケールモデルと組み合わせた例。タミヤイタレリ製Su-27 フランカーとミキシングビルドし、ドレス形態から空戦形態へと変形できるFAガールだ。ただスケールモデルと組み合わせただけでなく、寒さの厳しいロシアの戦闘機ということでコサック帽をやケープをコーデしているのが見どころ
製作者コメント：Su-27とFAガールマテリアのミキシング作品です。こだわった点は、帽子をかぶった"ドレス形態"とSu-27を模した"空戦形態"と、印象を大きく変える変形機構です。また、Su-27がロシアの戦闘機ということを活かして、ドレス形態は「雪国の妖精」のイメージで製作しました。このためにコサック帽子やケープを作るのは結構な苦労でしたが、Twitterでフォロワーさんからお知恵を拝借したことでどうにか完成させられました。両形態にギャップを持たせることが狙いでしたが、Su-27をイメージした水色塗装をすることで、より雪国感が出るよう作用したのがうれしい発見です！

素材の轟雷を活かしてミリタリー風に

春雷

製作者／Guntie

▶轟雷をベースにミリタリー調にまとめた作品。P50からの作例も担当したGuntieによる製作だ
製作者コメント：公式のM.S.Gとの組み替え例をもとに、アメリカ陸軍のUCP迷彩をイメージして仕上げました。一兵士、量産機感を表現したかったので派手な装飾突起等は避けています。バイザーは額装備に磁石を仕込み、ジャンクキットから加工したクリアーパーツにホチキスの針を貼り、取り外しできるように。脚の履帯を外した上にトップヘビーで自立させ辛くなったので、足裏にネオジム磁石を貼り付けて鉄板等の上では転倒しないようにしました。迷彩は基本塗装後にハイキューパーツのドット迷彩デカールを。貼り付ける作業は大変でしたが、とても良いカンジになって満足しています。武器などは実在する銃の刻印を参考にしてデカールを貼りました。軍装をイメージして製作したので、サバゲー趣味の方々に多く反応をいただけたのがうれしかったです

Guntie Present's「本気で楽しむFAガール」

厳鎚・双貌鬼

ーイカヅチソウボウキー

厳鎚・双貌鬼
コトブキヤ　ノンスケール
インジェクションプラスチックキット
「フレームアームズ・ガール
アーキテクト」改造
発売中　税込4950円（税別4500円）
製作・文／**Guntie**

Model Graphix
2016年8月号
掲載

FAガールは作り込み上等の“名女優”!?その奥深い世界を垣間見てみよう!

FAガールのもっとも代表的な遊び方が「カスタマイズ」だ。FAガールに既発売のオプション武装パーツやFA、ジャンクパーツなどを組み込んで己の求める理想の少女を作り上げていく……。技術以上にアイディアが試される、頭脳勝負の世界なのだ。今回はもっともカスタマイズに向いているFAガール、「アーキテクト」をベースにしたミキシングビルドをお送りしよう

FAガールテク1 ミキシング万歳!

●「理想のFAガールを作り上げるためにパーツをスクラッチビルドするぞ!」と志高くいくのもいいのだが、まずは既存のキットとのミキシングビルドでの挑戦をおすすめしたい。コトブキヤからは共通規格を持つFAや、M.S.G(モデリングサポートグッズ)といったオプション武装セットが多数製品化されているのだ

◀今回はテーマを「力任せに殴って戦う女の子」と決めた。ベースとなる「FAガール アーキテクト」のほか、パワータイプの近接戦用FA「FA 輝鎚・乙〈白兵戦仕様〉」と、見るからにパワフルな「M. S. G ヘヴィウェポンユニット スパイラルクラッシャー」を組み合わせることとした。まずは既発売のFAと組み合わせることからはじめるといい

合体

やっべ〜 超たのし〜

▶FAやM. S. Gといったコトブキヤ製品はΦ3㎜軸を共通規格としており、気軽に換装遊びを楽しめるのが売り。なので今回はプラ板やパテはなるべく使わず、組み換え+αでシルエットを模索した。それだけでも充分個性的なフォルムとなる

FAガールテク3

武装はアイディアの見せどころ

●戦闘を想定したカスタマイズの場合、武器や戦闘スタイルがもっとも重要。先にどんな武器を持たせるか決め、そこから全体的な仕上がりをイメージしよう

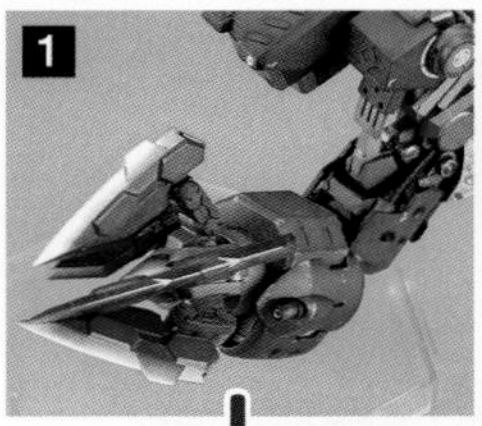

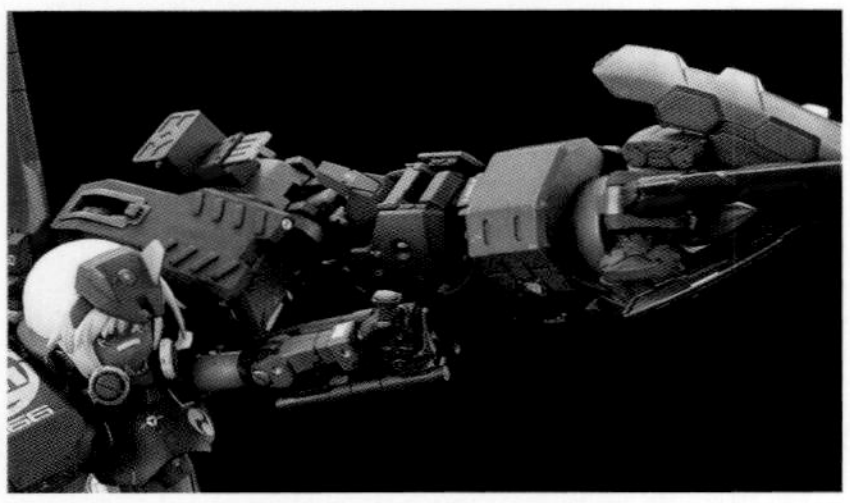

▲左腕武装【黒水仙】は土木用ドリルのような大型兵装、M.S.Gスパイラルクラッシャーを使用。ツメ部分は閉じ開きが可能（写真12）。２セット使用して４本指とした。3右腕武装は輝鎚・乙の持つ破城槌をベースに、M.S.Gのウェポンシリーズのリボルバーランチャー、グレイヴアームズ、フリースタイル・バズーカ、スパイラルクラッシャー、ハンマーを組み合わせた大金棒【砕城槌】。内部でグレネードを炸裂させた衝撃を前面から吹き出しながら殴打する武装

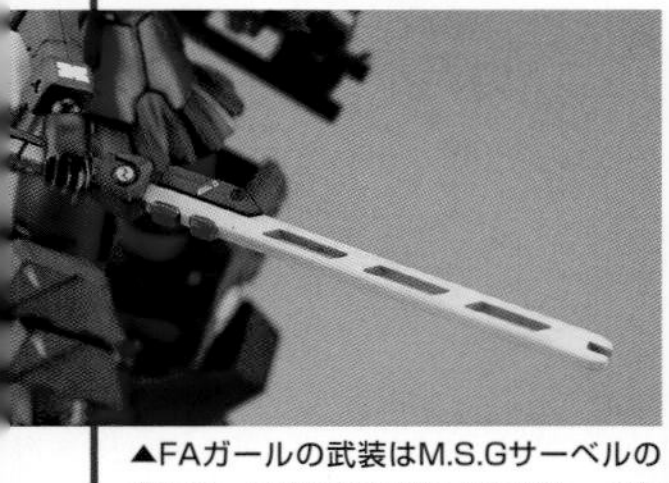

▲FAガールの武装はM.S.Gサーベルの持ち手、長短２つを組み合わせた。スタンブレード【雷獣牙】。電撃で相手の電装回路を焼き切るぞ！ ……という設定

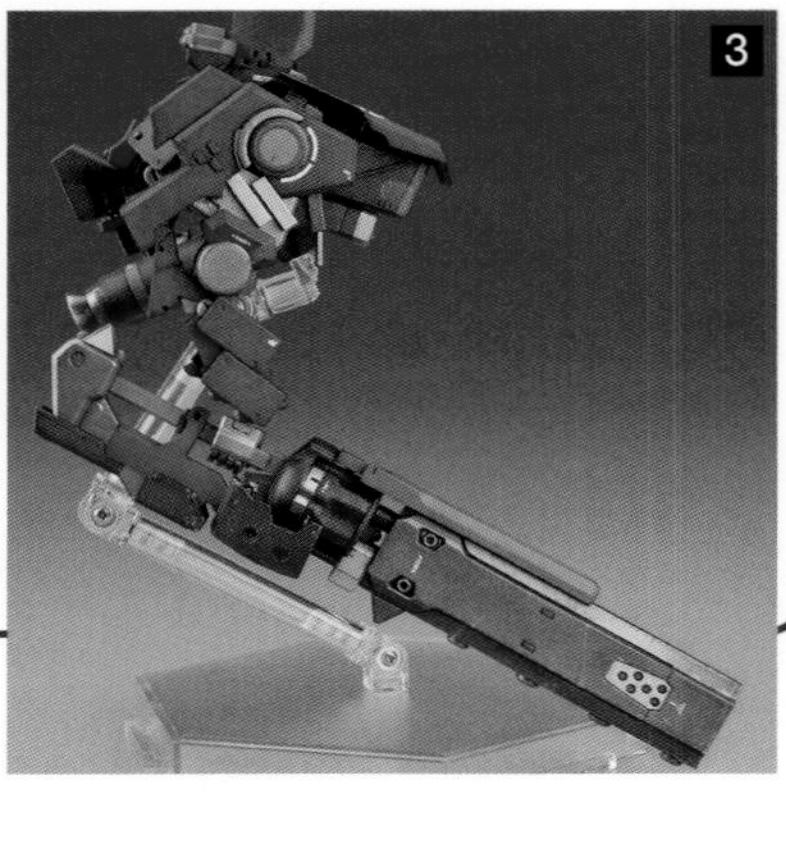

FAガールテク2

個性的な塗装を

●シルエットと同時に最初に目に飛び込むのがカラーリング。どうせ塗るなら元製品とは違ったカラーリングで目立たせてあげたい。今回は「赤鬼」のイメージから連想し赤、黒にアクセントカラーとして金を配色した

いきなり赤肌！

▶FAガール アーキテクトの２本のツノに着目して「赤鬼」をモチーフに……といってもいきなり美少女の肌を真っ赤に塗ってしまうとは剛毅！ しかしそのインパクトは大きい

▲▶FAガールや外殻の塗装は黒をメインとしてサブカラーに暗い赤を配置、ポイントとして金を散りばめシックながらも目を引くカラーリングとし、暗い色から明るい色を立ち上げる影立ち上げ塗装で立体感を強調。外殻左肩に大きく貼られたマーキングも非常に目につく

▶非戦闘時の「オフVer.」。胴体〜太ももにマテリアのパーツを使用。髪の毛はキットより房のボリュームを2/3ほどに減らしている

▼ＦＡガール アーキテクトのイラストをボックスアートからスキャンし、画像編集ソフトで配色の設計図を製作した。配色図があれば塗装の順番も決めやすいので、独自のカラーリングに仕上げたいときはとくに有効だ

FAガールテク4

肌色や装備の差分を作り∞倍楽しもう

●せっかくの美少女プラモデル。武装だけでなく「女の子」部分にもこだわりたい。今回は「FAガール マテリア」のパーツも用意し、「オフVer.」と「戦闘Ver.」も製作した。普段は褐色だが、戦闘時は肌が赤鬼のように赤くなるという設定なのだ

▼FAガール アーキテクトには前腕をFAシリーズと差し替えるためのパーツが付属するが、脚部にはそうしたパーツがないのでFAガール アーキテクトの肩パーツに３㎜Φの余りランナーを差して、輝鎚の脛部と接続した

▲▶こちらは「戦闘Ver.」。後頭部から伸びるウイッグは、こちらではメッシュチューブを用いた編みお下げに。脚部は加工を施してFA 輝鎚の脚部を接続した。左腕に持った小さな盾は、M.S.Gフレキシブルアーム Aとグリップを組み合わせたもの。背負い装備の外殻の操縦桿を兼ねたものとしている

FAガールテク5
関節強化も適材適所で

●今回のようなミキシングビルドは、パーツを盛っていくのに熱中するあまり、剛性が低くなってしまいがち。場合によっては可動軸をあえて殺したり、真ちゅう線を軸に打ち込むことで関節の強度をアップしておこう。本作例も外殻の関節強度が不足していたので補強を施した。こうした予防が遊び易さを確保してくれる

◀外殻胴体左右部の接続部。いじっているうちに折れてしまったのでこのあと2㎜真ちゅう線で補強を兼ねて修復。2㎜真ちゅう線はこうした工作に便利なので常備しておこう

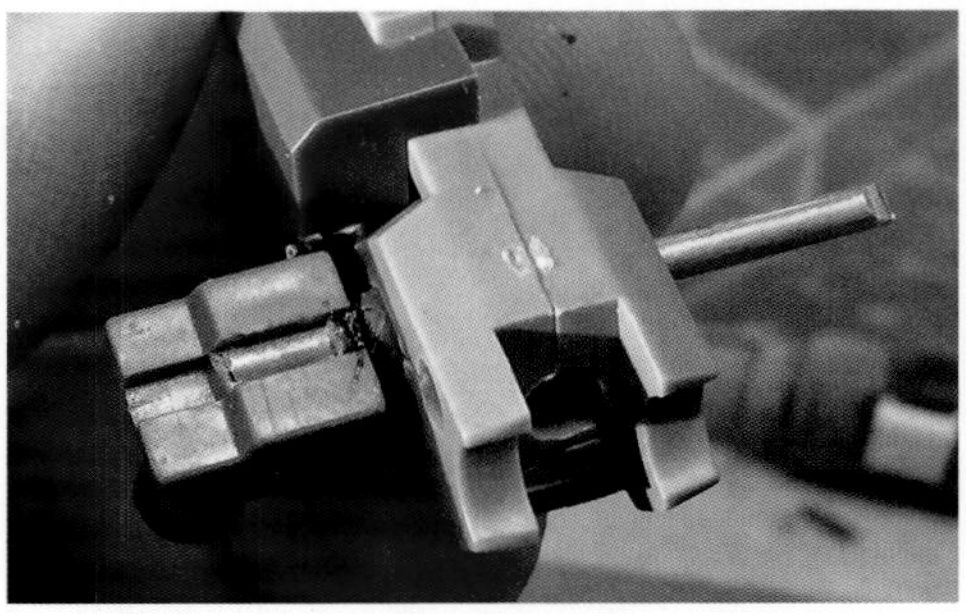

▶外殻の肩にあたる部分は本来のFA輝鎚では可動しない部分なのだが、取り回しと強度を考えて肩ブロックに真ちゅう線を貫通させて接続

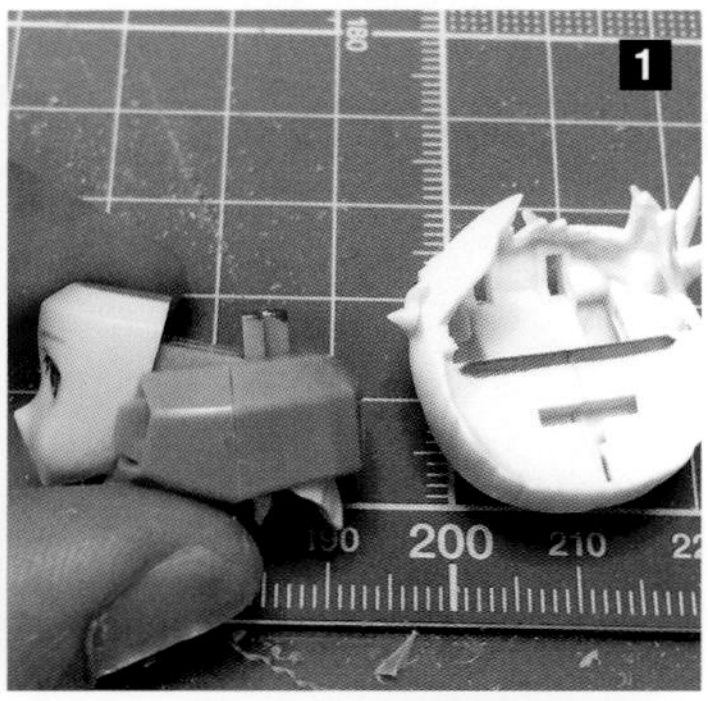

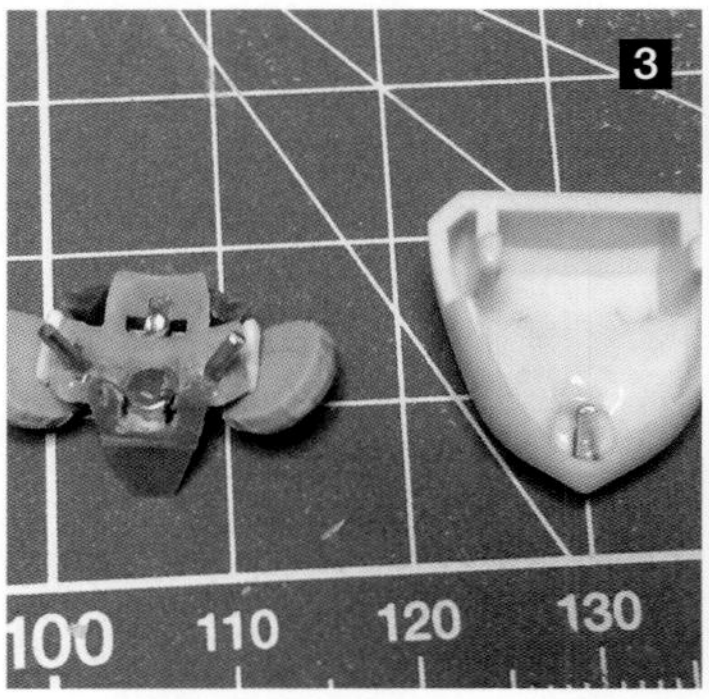

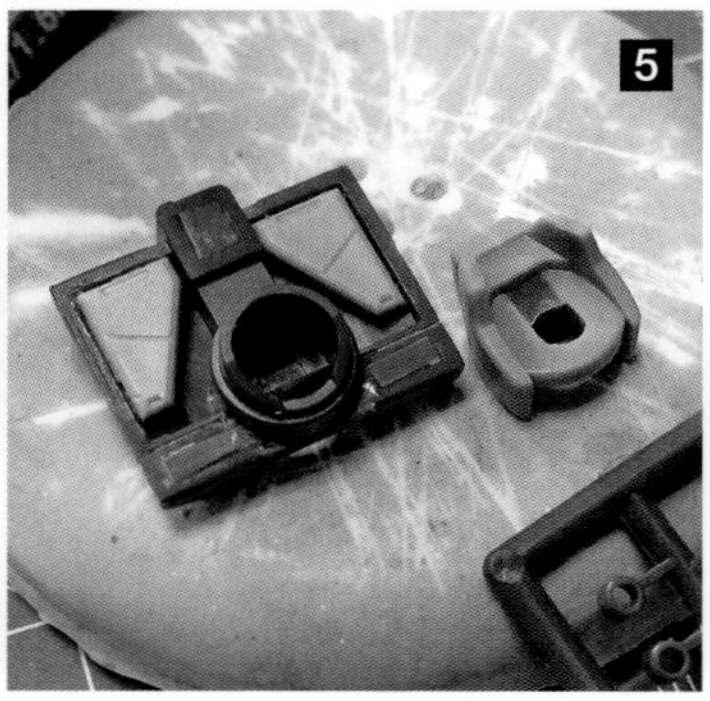

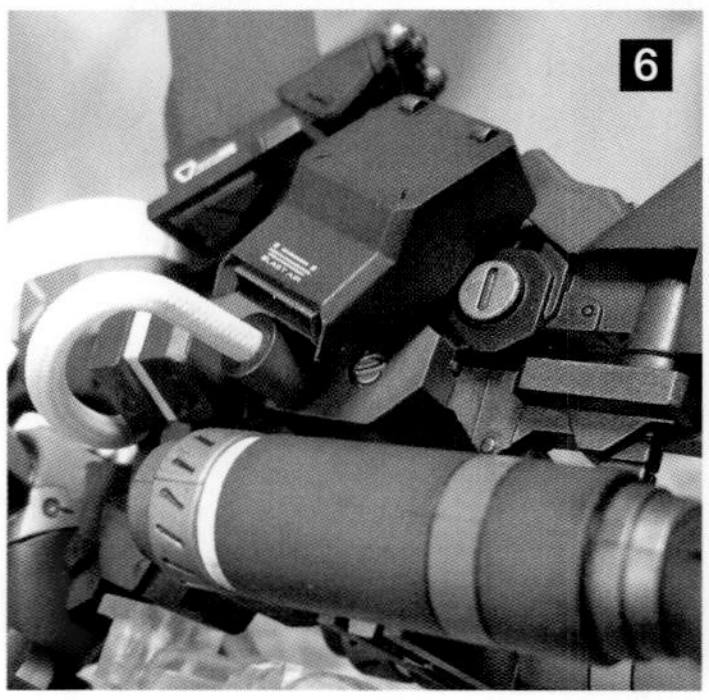

1FAガールは後頭部パーツと前髪パーツに合わせ目が生じる。ただ接着して消すだけなら簡単なのだが、何も考えずに処理すると顔パーツが前髪に干渉して外せなくなってしまい、せっかく複種類の表情が用意されている顔パーツが差し替えできなくなってしまうので後ハメ加工を施そう。FAガール アーキテクトの場合は写真の赤くマークした箇所を斜めにカットしておくと、髪の毛の合わせ目を消したあとでも顔パーツを外しやすくなる。2FA、FAガール共有の3㎜軸で、使用しないところはM.S.Gの丸モールドで埋めた。ただプラパーツを貼りこむだけでなく、場所によっては金属製のパイプなどと組み合わせることで精度をアップさせた。34鬼のようなキバが印象的な顎ガードはFAガール 轟雷の頭部を加工して製作。ネオジム磁石で脱着可能だ。こうした顔への追加デバイスは装着するためのダボ穴を開けたりすると痛々しいので、なるべくこうした気遣いをしてあげたい。5肉抜き穴の大きい所はランナーのタグを切ったもので蓋をする。ディテールを足したいと思ったところにはM.S.Gの角モールドを加工して貼り付けた。スパイラルクラッシャーの指の肉抜き穴など複雑な所はエポキシパテを使用して埋めた。6外殻装着時はこのように編みお下げが外殻に神経ケーブルとして接続される設定。こちらのパーツにもネオジム磁石を仕込んでおり、最後まで差し込まなくとも軸穴に近づけるだけでカチッと収まる。こうしたちょっとした演出も盛り込んでみると楽しいぞ

アーキテクトはミキシング素材に最適！

▲FAガールアーキテクトは全身にジョイントが設けられているだけでなく、肘関節を交換することで既発売のFAの前腕パーツを取り付けることができるのだ

◀3㎜Φの軸穴を利用してFAと組み合わせた例。ブロックトイのような遊び方が可能なのだ

'16年6月現在のFAガール最新作となるFAガール アーキテクト。本製品は特定のFAでなく、その共通素体として使われている「フレームアーキテクト」をモチーフとしている。

フレームアーキテクトは全身のいたるところに3㎜Φの軸穴が設けられ、自在にパーツを取り付けることで多様な製品を作り出したり、ユーザーがカスタマイズを楽しんだりしているのだが、FAガール アーキテクトもその特性を受け継ぎ、あらゆる箇所に3㎜Φの軸穴が設けられている。そのためP51の囲み記事でも触れた、既存のFAやM.S.Gとの組み換えを最大限に活かすことができ、極端な話をすれば切ったり削ったりといった加工をいっさい行なわなくても、組み換えるだけで自分だけのFAガールを作ることができるのだ。■

カスタマイズする場合、とりあえずいじってみて試行錯誤するのもアリです。が、迷走する危険性も高いので、まず私は『テーマ』『シルエット』『コンセプト』『カラー』くらいは先に決めることにしています。ここが先に決まっていると結構スイスイと進みます。今回は次のように考えてみました。

◆テーマ

以前個人的に作った轟雷は「撃・巧」、スティレットは「斬・速」でした。今回のアーキテクトは、製品にインパクトナックルも付属していますし「殴・力」にすることに。ザ、脳筋！

◆シルエット

わかりやすいパワータイプにしたかったので、上半身のボリューム過多のゴリゴリの逆三角形体型に。

◆コンセプト

ちょうど脳筋FA輝鎚・乙〈白兵戦仕様〉があったのと、アーキテクトの頭装備が2本角に見えたので「金棒を持った鬼」に決めました。

◆カラー

過去製作したFAガールは緑、紫で仕上げてきたのと、鬼ですし赤に決定。

◆製作

次は童心に返って設定を作りながら組んでいきます。楽しいですよね、設定作り。今回は「無法者たちの集まる地下賭博闘技場で戦うトップランクファイター」。そういうキャラ付けで妄想していきます！

最初は映画『エイリアン』のパワーローダーみたいな搭乗型で考えてましたが、「ギガンティックアームズ」と印象がカブるので背負い複腕型ということにしました。FAガール アーキテクトは【厳鎚-イカヅチ-】と名づけました。外殻武装の頭部は複合センサーレドーム【紅大一本角張懸兜】という設定で。胴体中心部、【黒色金糸威四枚胴】は輝鎚を副腕武装にするべく、胴

厳鎚 叉貌鬼

FRAME ARMS Girl ARCHITECT

体フレームをスパイラルクラッシャーの肩フレームと合わせて組みました。輝鎚の股間とリアスカート内ブースターを組み合わせて三門のブースターポッドを製作。FAガール アーキテクトに付属しているインパクトナックル&エッジの外装の内側を削り取り、左側のアーマーとしました。可動化の関係で脛フレームの接続穴が後ろから丸見えだったので、アルミ線でパイピングしたりM．S．Gパーツでデコってそれらしく。

副腕肩は逆三角形シルエットをより強調するため、輝鎚の太腿部を前後逆にして使用。ハイパワーな動力が入ってるだろう、と想定して右肩には輝鎚バックパックのパーツを接続。装甲裏側もジャンクパーツでディテールアップ。左肩には輝鎚・乙の破城槌のヒートシンク的なものを。

FAガール アーキテクトは轟雷からこまかい所がずいぶんと変更されていますし、接続穴が多く、「組み替え遊び」がしやすくて楽しかったです。■

カラーレシピ

※とくに表記のないものはガイアカラー。(M) =GSIクレオス Mr.カラーを使用

●FAガール本体

・**髪**／ミリオンブルー→セルリアンブルー→EXホワイト→(M)メタルカラーGXクリアシルバー

・**褐色肌**／メンズフレッシュ3→ノーツフレッシュオレンジ→ミディアムサフレスオレンジ+ミディアムサフレスピンク(1:1)

・**赤肌**／ピンクサフ→メンズフレッシュ4→グレーバイオレット→ブラッドレッド→朱色→(M)RLM23レッド+(M)ルビーオレンジ(少量)

・**白**／SEホワイト→スチールホワイト

【以降は表記のない場合、ガイアノーツ サーフェイサーエヴォブラック下地を事前に塗布】

・**暗赤**／ボルドー→ローズディープレッド

・**明赤**／ローズディープレッド→(M)シナンジュレッド+ブライトレッド

・**黒布**／ミッドナイトブルー

・**灰装甲**／メカサフヘビー→魔法少女カラー黒

・**武器グリップ**／ニュートラルグレーV

・**武器刃**／EXホワイト→セルリアンブルー

●背部ユニットなど外装パーツ

・**赤**／サーフェイサーエヴォオキサイドレッド→アンティークブラック→ダークレッド→(M)あずき色

・**黒**／ジャーマングレー→ライトグレー

・**金**／(M)メタルカラーGXレッドゴールド+(M)メタルカラーGXブルーゴールド(1:1)

・**左腕内側**／メカサフライト→フレームメタリック[1]→(M)瓦色

・**フレーム**／メカサフライト→スノーダークグレー

・**関節**／スターブライトアイアン

・**爪**／スターブライトジュラルミン→ダークステンレスシルバー→スターブライトアイアン

・**金棒**／ガンメタリック

・**接続穴**／フレームメタリック[2]

ベストマッチを探せ!!

フレームアームズ・ガール+スケールモデル
ミキシングビルド大喜利大会!

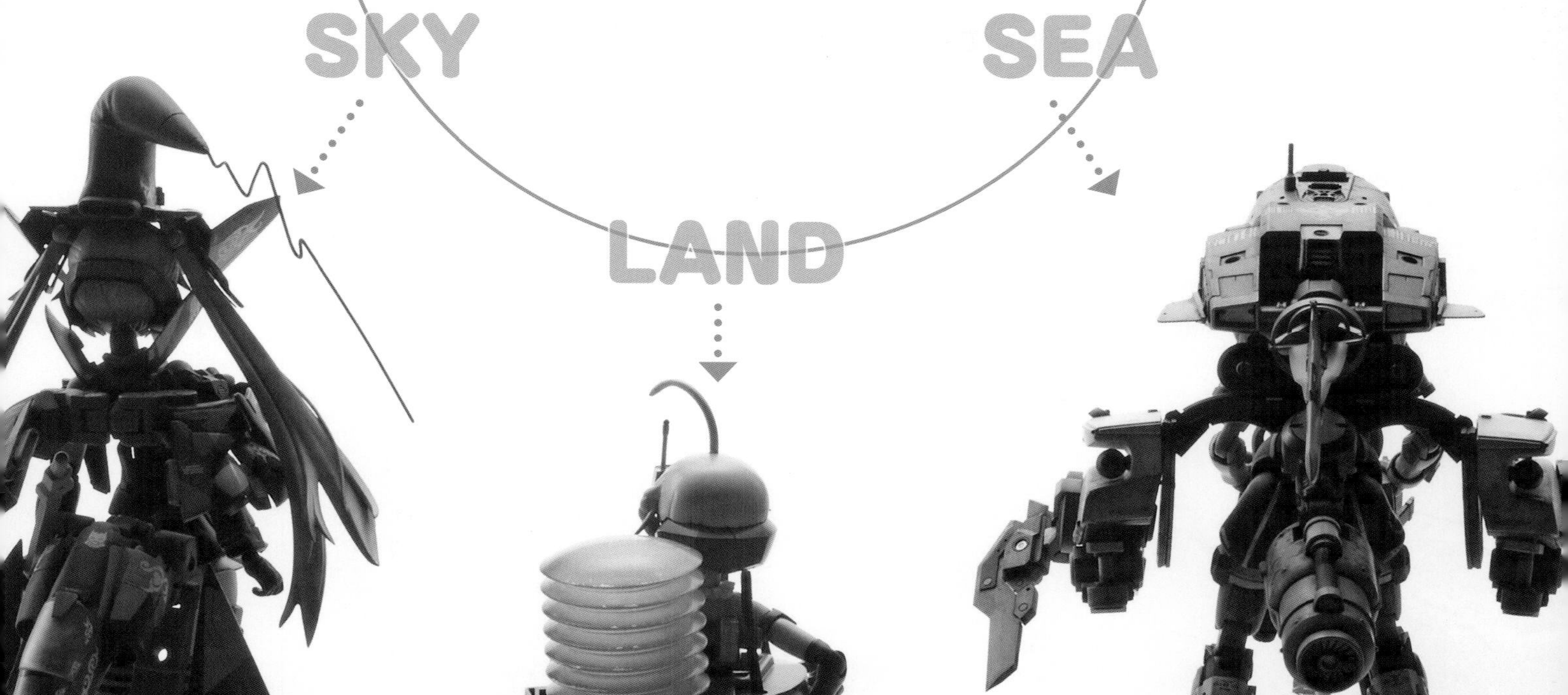

プラモデル『フレームアームズ・ガール』を楽しむにあたって
トライしたいのがやはり独自の「カスタマイズ」だ。
流用パーツや、自作パーツをFAガールに組み合わせ
自分だけのFAガールを作り上げるプラモデルならではの楽しみ方。
もちろん組み立て説明書どおりに組み上げるのと比べてその手間ひまは
圧倒的に増えてくるし、流用パーツをどう組み込むか
どういうデザインにまとめあげるか……というアイディアの勝負にもなってくる。
完成させるのはひと筋縄ではいかないが、見事完成させた暁には
FAガールへのとてつもない愛情が湧いてくることだろう。
今回の特集では、3人のモデラーに同じテーマ、同じモチーフで
FAガールとスケールモデルとのミキシングビルドに挑んでもらった。
本作例群をヒントに、あなただけのFAガール作りにチャレンジしてみてほしい!

Model Graphix
2017年10月号
掲載

ミキシングビルド大喜利とは!?

▲アニメでは轟雷は多くのパーツを装着してパワーアップしたり、最終戦でみんなの武装を装着したりしていたが、これもミキシングビルドによるカスタマイズと言える

●今回のミキシングビルドのお題はFAガールと、市販の戦車や飛行機などのいわゆるスケールモデルキットである。スケールモデルとFAガールのミキシングビルドは、組み立て説明書などでも推奨されている遊び方だが、今回は3人のモデラーにそれぞれ轟雷、スティレット、フレズヴェルクを陸・海・空のテーマで製作してもらうことにした。FAガール以外の使用キットの購入予算も1万円に設定し、それぞれのアイディアを作り比べてみてもらうというのが本企画の趣旨だ

ルール①

ベースは編集部指定のFAガールを使用!

ルール②

それぞれ陸・海・空のテーマに準じたスケールモデルをミキシングビルドに使用!

ルール③

キット購入予算は1万円!

▲◀限定発売された「フレームアームズ・ガール スティレット Blue Impulse with たまごひこーき」。言うなればこれもミキシングビルドだ

◀陸担当のkeiは、本誌'17年4月号にて「フレズヴェルク=ビアンカ」を製作。『ZOIDS』なども愛し、ふだんからユーモアの効いたミキシングビルドを製作しているkeiだが、スケールモデルは経験なし。果たして……?

＋

エントリーNo.1
陸担当・kei

陸をテーマにした作例は、戦車をモチーフにしたFAガール・轟雷をベースとする。担当モデラーのkeiがセレクトしたスケールモデルは、フジミ製のデフォルメ戦車キット「ちび丸ミリタリー ティーガーI」。FAガールサイズだと、確かに1/35スケールの戦車よりサイズ的には合いそうだが、果たして……?

エントリーNo.3
空担当・ファジー

＋

空をテーマにした作例はスティレットをベースとする。製作担当のファジーは、'16年8月号巻頭特集にてFAガールを借りた縁で作例初挑戦。が、右写真の作品で'16年のコトブキヤ主催コンテストで銀賞を受賞。その実力は折り紙つきだ。使用キットはタミヤ製1／72の「ミラージュ2000C」。

エントリーNo.2
海担当・Guntie

＋

海をテーマにした作例は、水着を身にまとったフレズヴェルクを使用。製作を担当するのは、左写真のイノセンティアをベースにした'17年6月号掲載の「アスモディ・レア」など、ダーティーなカッコよさと物語性を感じさせる作品作りを得意とするGuntie。ミキシングビルドに使用するキットは、ハセガワ製「しんかい6500」とアオシマ製「トライトン」といった非戦闘の潜水艇をセレクト。

陸 轟雷

製作・文／kei

▲▶今回の設定は「戦車型の水鉄砲を装備した轟雷」に決定!! デフォルメ戦車というのも、水鉄砲ということにすればかえってオモチャっぽく見えてイイカンジかも? ディテールもむしろ減らしていく方向で。手持ちの武装として、トミーテックのリトルアーモリー「ウォーターガン」を使わせることも決め、コンセプトは決定！

●'17年4月号ぶりに登場のkeiです。お久しぶりです！今回はFAガールとスケールモデル（轟雷+AFV）のミキシングビルドを担当させていただくことになりました。スケールモデル初心者なので、できるだけ簡単に作れそうなキットを探していたところ、フジミの「ちび丸」シリーズを発見。デフォルメなのもかわいいし、スナップフィットでパーツも少なく、サイズもちょうどいいということで決定！　轟雷とミキシングするならモチーフとなっている10式戦車も捨てがたかったのですが、自分の中のザ・戦車の形がティーガーだったのでこちらを採用

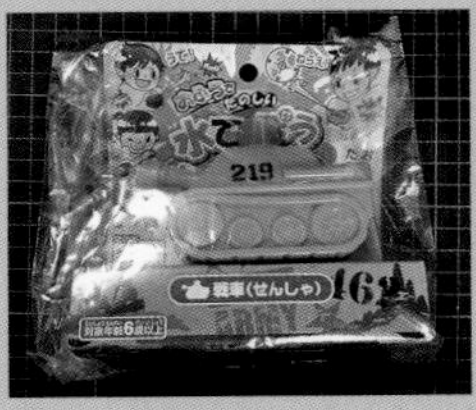

◀▶FAガールとスケールモデルをミキシングビルドする場合、スケールモデル側を切り刻み、FAガールに装着していく……というのが一般的かと思いますが、今回は考え方を変えてスケールモデル側の形をできる限りそのまま残してミキシングしようと思いました。戦車の上から下までを大きくくり抜き轟雷をハメてみたところ、かなりコミカルな姿になったので、「武装は実弾とかよりもビームとかがいいかな～」などと考えていたところ、100円均一ショップで戦車型の水鉄砲を発見。こ、これだ!!

海 フレズヴェルク

製作・文／Guntie

▶フレズヴェルク本体の胴体関節は、破損報告を多く耳にしていたので組む前に真ちゅう線を軸打ちして補強

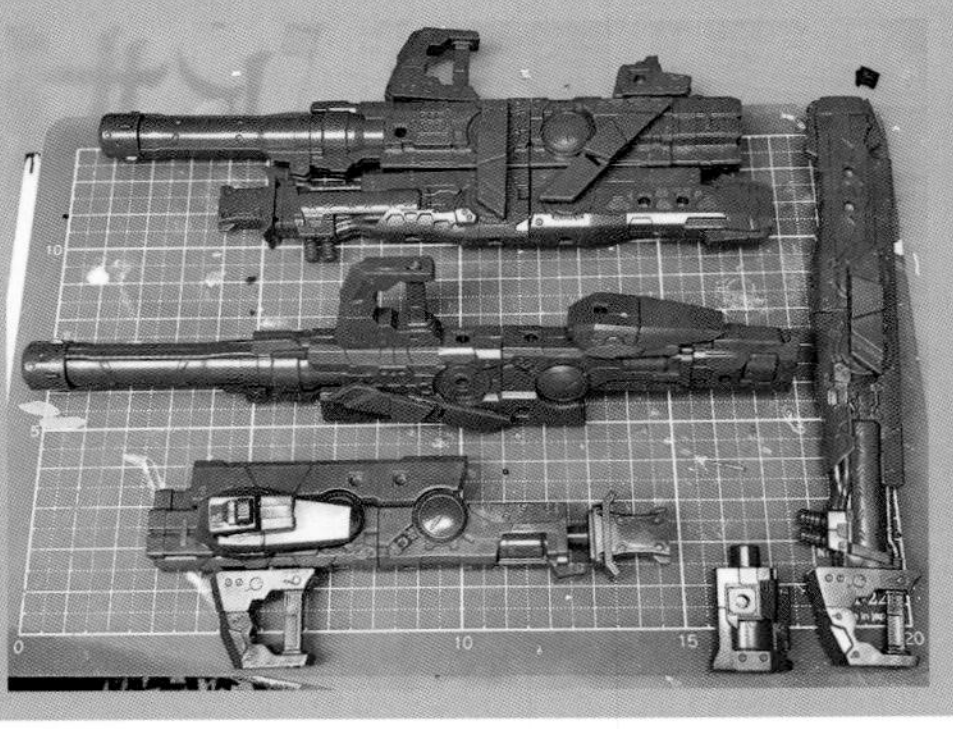

▼M.S.Gのヘヴィウェポンユニットより、セレクターライフルを用意。今回はフレズヴェルクを、義足をつけたようなデザインにしようと思ったので、このパーツを脚部として使用します

●ベースに使うフレズヴェルクは、スタイリッシュなカッコいい作品がすでに多く作られているイメージなので、あえて無骨な雰囲気を目指します。素体はスク水なデザインでもともと水中感あるのですが、潜水艇に乗るのに合わせてウェットスーツと潜水服をイメージした造形に改造することにします。潜水艇装備は深海探査船と潜水服と作業重機を合わせたイメージに。しんかい6500とトライトンを使ってフォルムを出すことにしました

●今回はスケールキットとのミキシングビルド企画。海を担当するとお話をいただき、最初はやはり海上の軍艦や護衛艦のパーツを使用することを考えましたが、艤装を背負う姿しか浮かばなかったので断念。では潜水艦で、と考えるとどうしても頭に浮かぶのは『回天』やバナナボートだったのでこれは食指が動かないと却下。では、と個人的に好きな深海探査船をチョイスすることにしました。これらも間違いなく海モノです

空 スティレット

製作・文／ファジー

●FAガールを改造するときによく用いる考え方が「3種類のモチーフの融合」というものでして、今回の例でいうと「スティレット」＋「ミラージュ」だけだと、どうしてもミラージュの装甲をスティレットに武装させただけの戦闘用メカ少女風の完成図に行きがちだと思いまして、そうならないようにこの考え方を念頭にミキシングビルドを開始します

●まずは適当にミラージュを切り刻んで、スティレットに貼りつけてみます。背中につけたデルタ翼はマントに見えるのと、機首のとんがり方がいいな、何に活かせるかな、と感覚の赴くまま切った貼ったをして行くうちに、そのシルエットは「とんがり帽子の魔女」になっていました。最終的に、この作品の3つのモチーフは「スティレット」「ミラージュ」「魔女っ娘」ということで決まりました。こうなると早いもので、「杖にまたがるとマントがたなびく→飛んでる姿がミラージュに見える?→またがる杖に垂直尾翼を、その先端に機首を」とギミックについても決まっていきました

●「とんがり帽子」はスティレットの肩、脚部ウイングパーツと、背面ブースター、ミラージュの機首パーツを用いて作成しています。とんがり帽子のかわいらしさを出すため、機首パーツは途中でのこぎりで切断、角度をつけて折れ曲がるように改造しています。また、機首パーツからはピトー管をイメージした曲げた真ちゅう線を取り付けています

▲▶またがらせるための杖は、コトブキヤのM.S.Gヘヴィウェポンユニットの「ユナイトソード」の柄を使用しています。ただ、スティレットの腕がうまい具合にポージングできないことが発覚。むむむ……

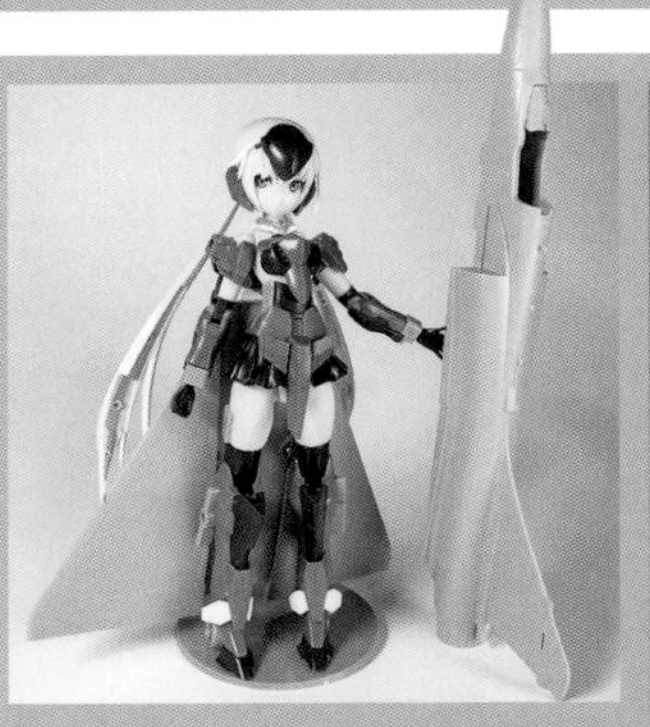

●ファジーと申します。'16年8月号の巻頭特集にて、拙作のマテリアと戦闘機改造のFAガール「ジュラーヴリク」を掲載してもらいましたが、今回は晴れて作例製作デビューです！　今回は空をテーマとしたスケールモデルとのミキシングビルド。素材はタミヤの1/72 ミラージュ 2000Cをセレクトしました。というのも、使用キットを選ぶため、飛行機映画を何本か見たんですね。そのなかでミラージュが主役のフランス映画『ナイト・オブ・ザ・スカイ』が印象に残ったんです。デルタ翼のカッコよさが出ていていいなぁ！と思って！

▲戦車の外観がほぼ完成。砲身はオモチャっぽさを追求するために、マズルブレーキなどがないシンプルなデザインにしたかったので、プラパイプなどを組み合わせてスクラッチビルド。戦車上面も、さすがにキューポラから轟雷の身体を出すのは無理だったので、まるまる繰り抜いてプラ板で自作しました

▲車体部分は轟雷やフレームアームズ、M.S.Gのパーツを追加。側面にはウォーターガンのマウントラックを製作することに

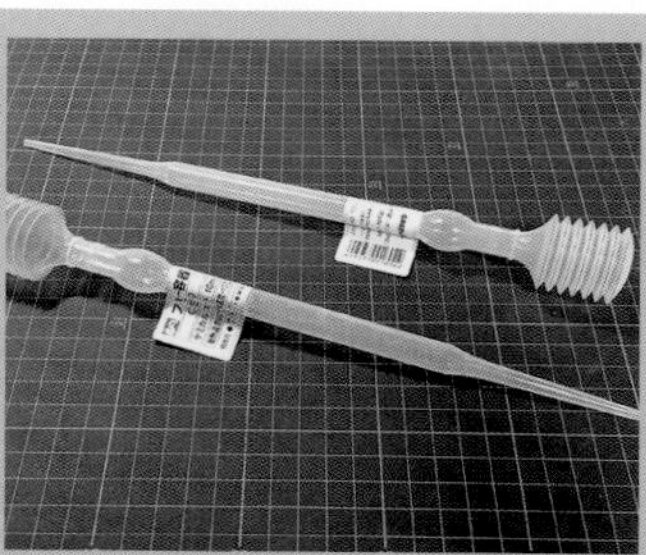

▲水鉄砲戦車、ということで市販のスポイトを水を貯蔵するタンクとして砲塔に装備。だいぶオモチャっぽいフォルムになりました

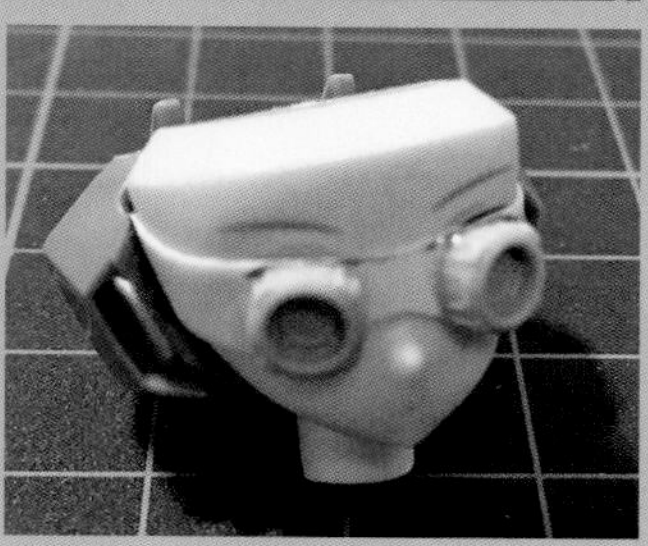

▲水遊びをさせるのでゴーグルを自作。プラ板と適当なノズル状の市販パーツとを組み合わせて製作しました

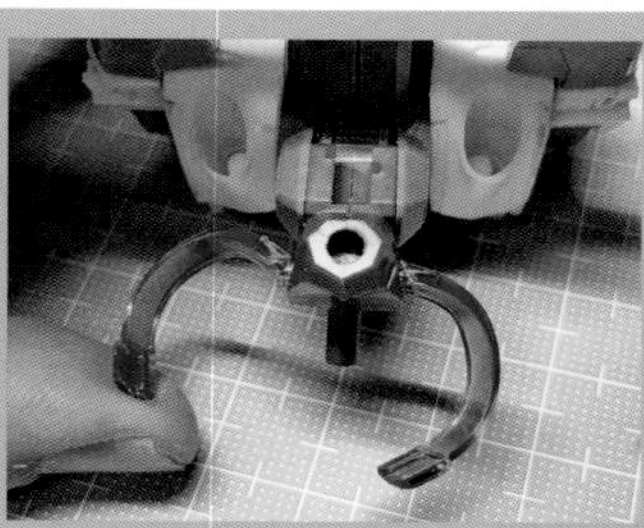

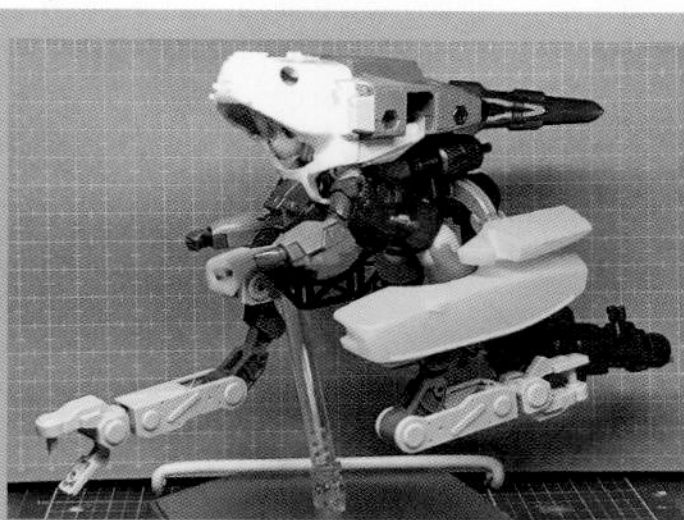

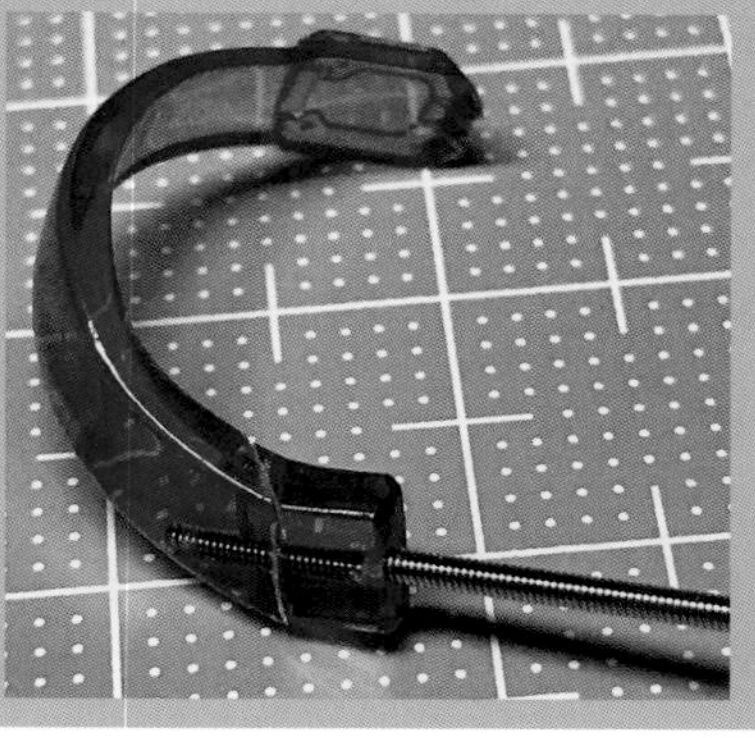

●サルベージ装備にはスケールやデザインラインの違うものをミキシングするので、適度にフレズヴェルクのパーツやM.S.Gを散らして統一感を狙いました。スケールモデルとのミキシングで取って付けたようなカンジを避けるのは難しいですね
●フレームアームズ グライフェン（右写真）のパーツを使用して大きな折りたたみ式のアームを装備。このあと、M.S.Gのパーツを使用した小型のマニピュレーターも装備しました。魚類のようなフォルムから作業腕を展開すると甲殻類の様に変化します。また、隙間埋めや固定以外ではなるべくパテの使用はしない縛りです
●本体と武装との装着に使うベルトは差し替えずとも済むようにスプリング接続に変更

▶このようなカンジに。太ももの肌は露出させず、GSｰクレオス製のエポキシパテ、「エポパ 高密度」を盛りつけて、ダボっとした簡易宇宙服のようなイメージの造型に改造。脚部は右記のセレクターライフルに、フレズヴェルクの装甲パーツを組み合わせて構成しました

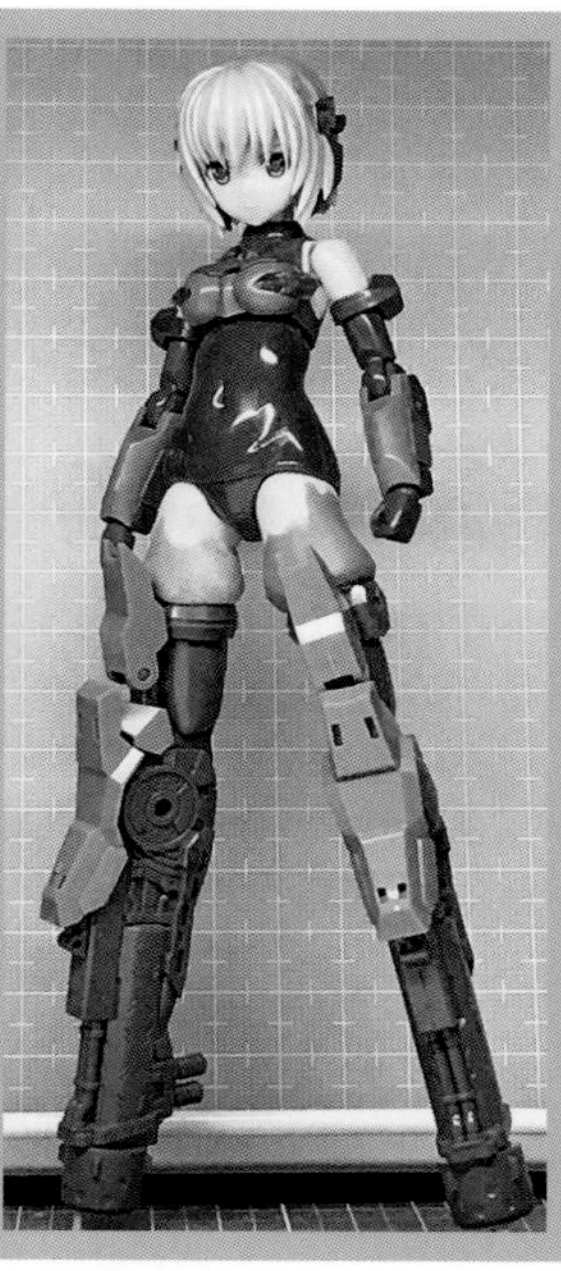

●ほぼ塗装前の、全身のフォルムが出た状態。ここからはさらに細部のディテールを詰めたりなどして、さらにカワイくしていく作業を行なています

▼スカートは0.3㎜のプラ板を曲げながら接着して、少し丈を長くしました

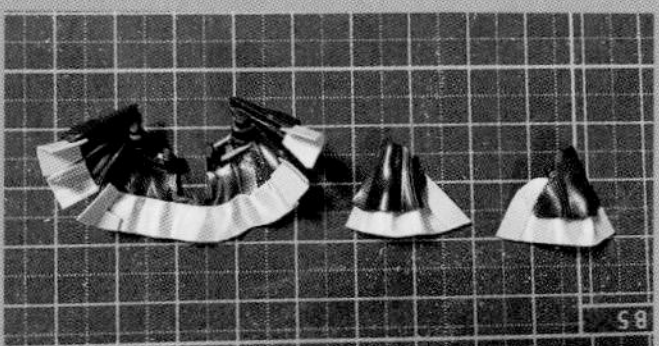

▶杖に乗ったポージングがうまくいかないので胴体をイノセンティアに変更。イノセンティアの肩関節は非常に可動範囲が広いので、杖にまたがったときのライディングスタイルも無理なく決まります。この恩恵で非常にグラマーなスティレットになりました（笑）

製作後半! 各人出来上がりが近づいてまいりました!

陸 轟雷

製作・文／kei

●素体もほぼ形になった轟雷と組み合わせ。当初、轟雷はそのまま使う予定でしたが戦車にハメる際に脚の装甲などが干渉するのと、見た目的にも重い印象でイマイチに感じていました。そこで、轟雷の胸から下を思い切ってイノセンティアに変更！　こうなると腕の装甲パーツもいらないかな、と思えたので、こちらもイノセンティアに変更しました（あれ？　轟雷ベースとは？）

●頭部はアホ毛を追加。左のもみあげをカットして、『メガミデバイス』の「WISM・ソルジャー アサルト／スカウト」の三つ編みを移植しました

◀車体から分離することで軽装モードに変形!! ちなみに通常状態はなかで正座しているだけです

海 フレズヴェルク

製作・文／Guntie

▲ほぼフォルムができあがった状態。本体は足首から下を、通常時の板状のものと、サルベージ装備時の水中スラスターとで換装する設定です。襟も潜水服的なパーツを設置しました

▼サルベージ装備のヘルメット部分、こちらにもベルトが設けられ、スプリング接続で干渉を防いでいます

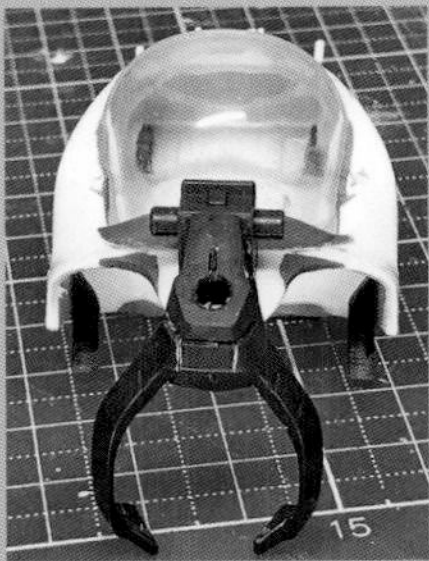

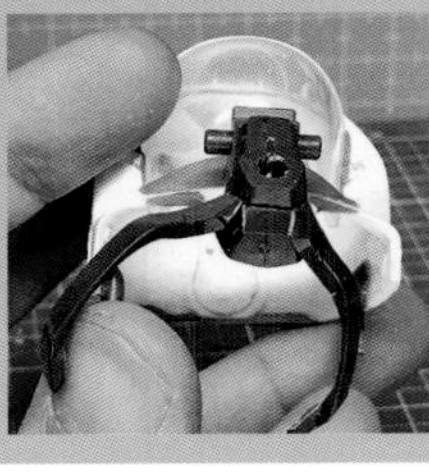

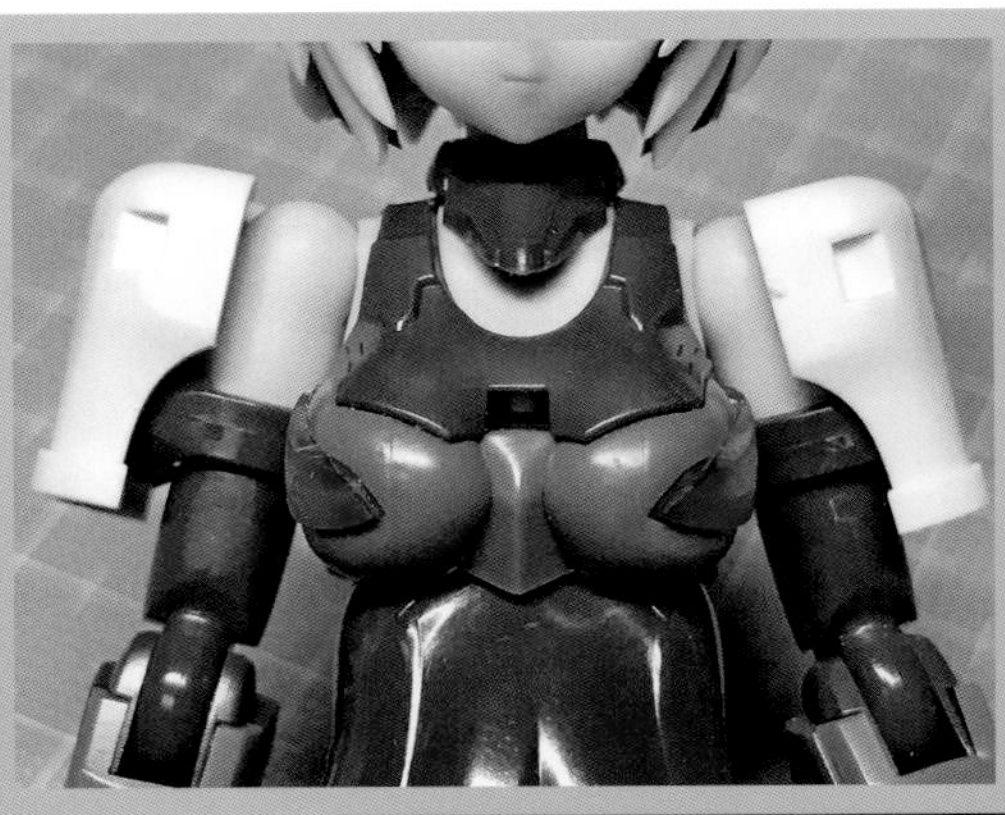

▲▶肩アーマーは『メガミデバイス』の「アサルト／スカウト」のもの。各所のクリアーパーツは「使い方のわからない未知の技術」という想定で塗りつぶしたり使わなかったりで排除しています

空 スティレット

製作・文／ファジー

▲ナイフやピンバイスで削って、笑った口を造形します。大まかな形が出せたら耐水性サンドペーパーで表面処理します

▲ツインテールは取り付け位置を上に上げたので、合わせて髪の毛の結び目に向かう流れのモールドを彫り直します

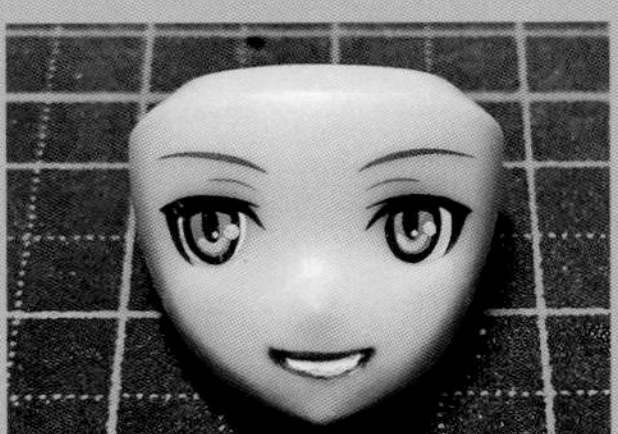

▲シタデルカラーのBASEホワイトで塗装、最後にGSIクレオスのリアルタッチマーカ ーの茶で口の両端を描き入れます

▲新たに「にしし」と笑ったフェイスパーツを作ります。まず通常の笑顔パーツにシャープペンシルでアタリを引いて……

▼ツインテールに用いるリボンをつけたいので、0.3㎜のプラ板を用いて作成しています。細くカットしたプラ板を写真のように折り曲げて、両端を接着することで簡単にリボンの形になるんです。これに、同じ幅のものを重ねて接着することで強度をアップさせます

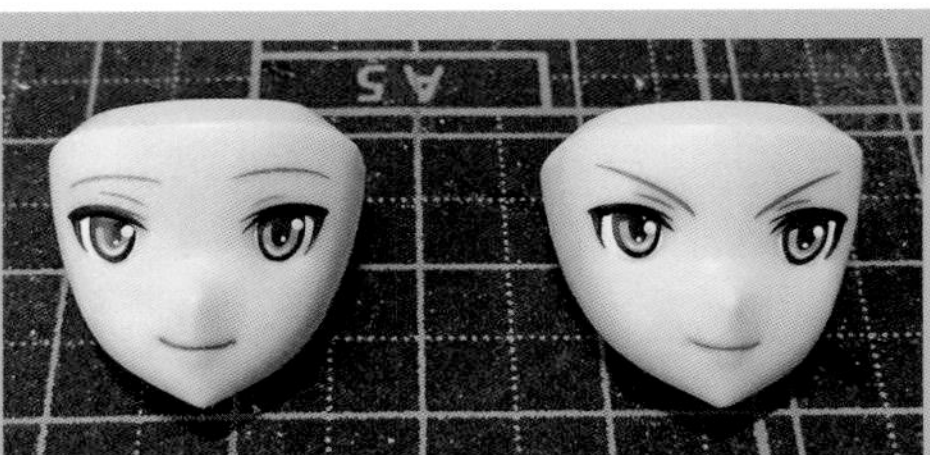

▲スティレット付属の笑顔は、ビミョーに眉毛の角度がキツく、強気な印象をあたえがちなので、眉毛のみペイントリムーバーで除去、付属デカールの眉毛だけを移植して柔和な印象の笑顔にしております

◀が、実際に顔パーツをはめ込んでも、どうにも印象が変わらない……スティレットは前髪が長いので、眉毛が隠れてしまい目元で表情を作るのが不得意なのでは!? と感じました。なので、ガリガリ前髪を削り、眉毛を見せつつ、右に流す感じの髪 型に変更しました

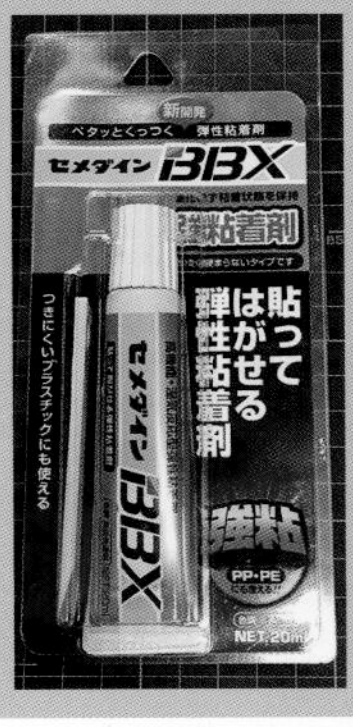

▲▶ウォーターガンのキット付属の水風船は、セメダインの貼ってはがせる粘着剤、セメダインBBXを使用することで戦車への装備や手に持たせるアクションをかんたんに行なえるようにしました

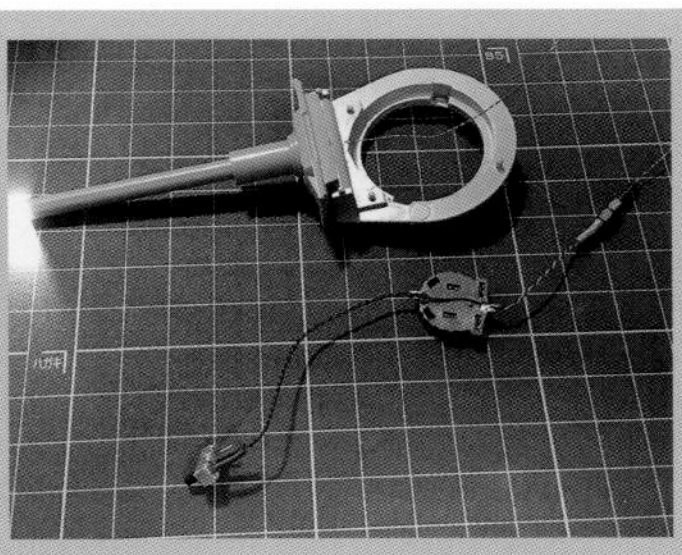

▲▼砲塔内部にハイキューパーツのLEDユニットを内蔵。さらに市販のビームサーベルパーツを砲身に取り付けられるようにしてエフェクト+発光で放水を表現してみました

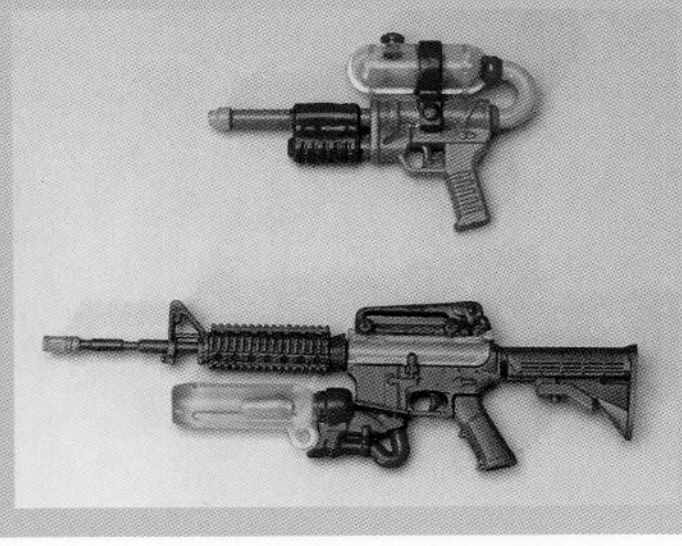

▲脇腹などの黒い部分はシタデルカラーのベースブラックで筆塗り。筆ムラが少なく隠蔽力もあり、水性なので割れも心配なし
▼ウォーターガンはオモチャっぽく光沢仕上げ

▲肌に赤みを追加するには、タミヤの「ウェザリングマスター」を使用するのが簡単。影になる部分や頬などに、Hセットのピンクを擦りつけてトップコートしましょう

▲サルベージ装備を塗装後に、各部にモデルカステンのロシアンデカールをあしらった。キリル文字がイイカンジのアクセントに

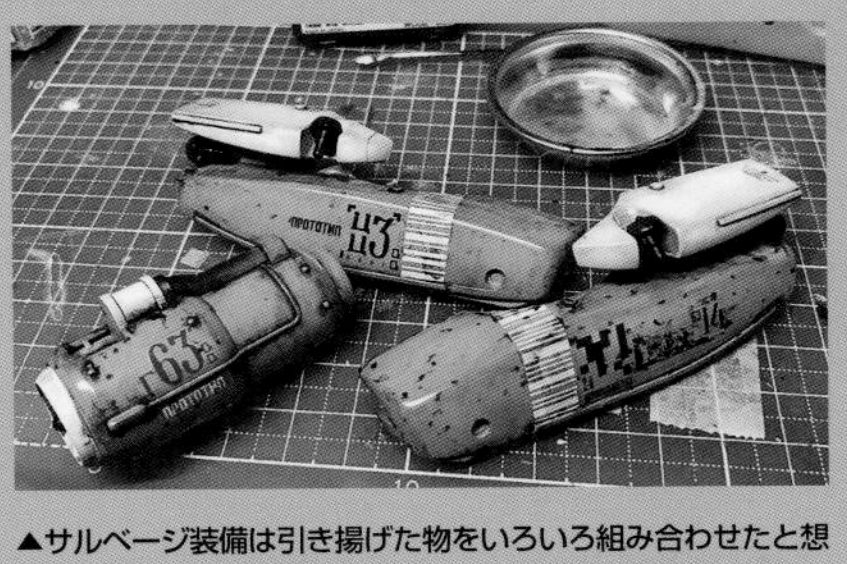

▲サルベージ装備は引き揚げた物をいろいろ組み合わせたと想定して色ごとに風化表現を変えました。黄色い部分はGSIクレオスのMr.ウェザリングカラーを適当に塗って1日置いて乾燥させてから拭き取り。白い部分はウェザリングカラーを一通り塗ってすぐに拭き取り。他はスミ入れ程度に留めました

▲塗装開始。本体の肌は褐色としました。ガイアノーツのNAZCAピンクサフ→メンズフレッシュ 4→メンズフレッシュ 3と塗ったあと、タミヤのウェザリングマスターHで仕上げました（メンズフレッシュは限定発売品）

▼サルベージ装備のヘルメットには、M.S.Gのマイナスモールドを薄くしたものを貼り付けます。切削性が高い3Mのキュービトロンを使用して薄く加工しました

●当初からミラージュ2000を模した、水色メインの迷彩を考えてみたのですがいざ塗ってみると……あまり魔法少女っぽくありません。なのでリペイントを決定！

▲▶サーフェイサーを吹いて塗装、してみましたが……？

◀ほぼディテールアップも含めて形が出た状態。帽子にはイノセンティア付属の猫耳パーツを追加しています。これはかわいさはもちろん、フランスの飛行機であるミラージュ2000にちなみ、フランス人の約50%が猫を飼っている、という逸話を取り入れてみました

ミキシングビルド大喜利大会!! 完成編

P56より製作編をお送りしたFAガールとスケールモデルのミキシングビルド大喜利大会。こちらではいよいよそれぞれの作例を、キット購入費とともにお届けしよう！　力作たちをとくとご覧あれ！

陸
ウォーターバトラー
轟雷

ウォーターバトラー轟雷
コトブキヤ　ノンスケール
インジェクションプラスチックキット改造
「フレームアームズ・ガール 轟雷」
発売中　税込5280円（税別4800円）
製作／kei

キット購入などにかかったお金は……￥5372!!

●メインのちび丸ティーガーはミニサイズのため1800円とリーズナブル。さらにウォーターガンとLEDを足して5000円チョイで収まった。イノセンティアは元々のストックとのことなので今回はノーカン

"FRAME ARMS GIRL WATER BATTLER GOURAI"
FRAME ARMS GIRL GOURAI besed
KOTOBUKIYA Non-scale Injection-plastic kit
Modeled and described by kei

●戦車、ではなく戦車型の水鉄砲を轟雷が身につけた姿！という設定で作られているため、戦車部分は意図的にオモチャオモチャっぽく工作。塗装も彩度高めのポップなカラーに半光沢仕上げでキャッチーなカンジ！

メイン武器は水鉄砲!

●メインの携行武装はトミーテックの「ウォーターガン」を使用。こちらもピッカピカのヴィヴィッドカラーでハイカラに仕上げてオモチャ度UP ！

●ウォーターガンは未使用時は車体側面に懸架できるようにマウントラッチを新造。オモチャっぽくても、こうしたFAガールに対する気遣いを忘れていない点がポイント

●ウォーターガン付属の水風船も余さず砲塔後部に装備。何度も貼ったり剥がしたりできる粘着剤を使用して余計なダボなどを設けずに取り外しが可能

●より水鉄砲っぽさを強調するために、市販のスポイトをカットして砲塔後部に装着

●砲身は元キットのままだとカッコよすぎなのでプラパイプでディテールを排して自作

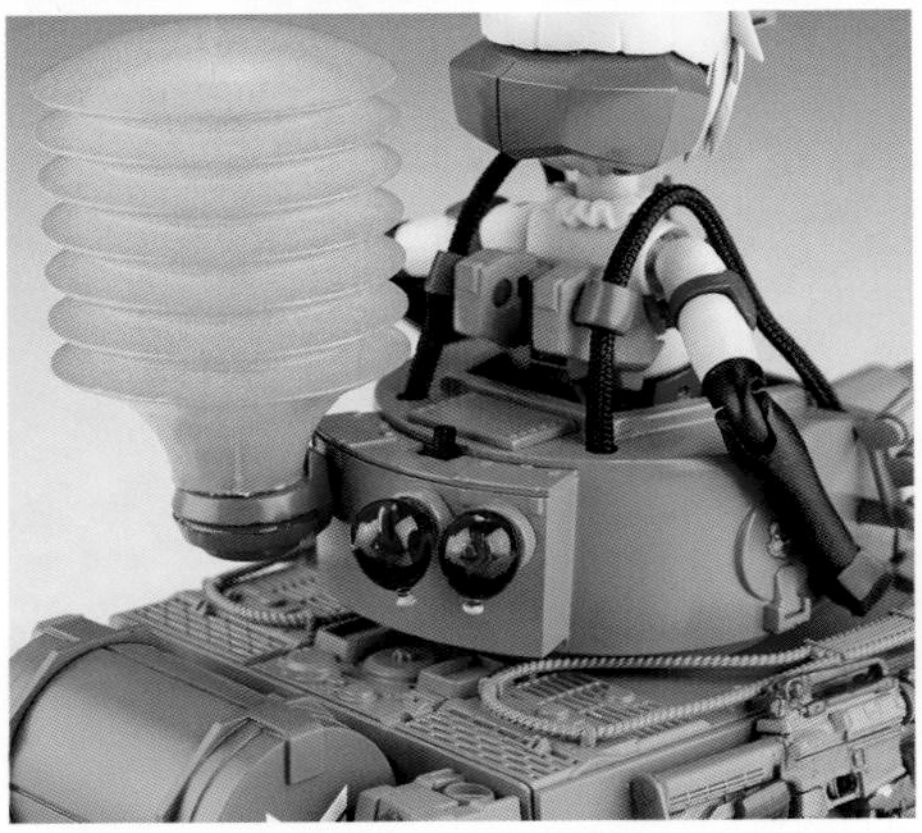

▶砲塔側面にはグリップが設けられている。ここを握って水鉄砲主砲を発射するのだ!!

光る! 鳴らない!

●砲身の発光ギミックも搭載。さらにエフェクトパーツを装備して放水シーンを演出することも可能

ファイヤー（この場合はウォーター!?）!!

よっこらせ!

●なんと「立ち上がる」ことも可能！ そう、じつは轟雷本体は戦車のなかで正座しているだけだったのである！ こうしたジョーク全開の作風もなんだか許容できちゃう懐の深さがFAガールですよね
●さらに車体を脱ぎ捨てて軽装モードにもチェンジ。素体にはイノセンティアを使用している。下半身は塗装でサイクルウェア的な表現としているのもスポーティーでGood
●砲塔とは背中パーツに紐を通して固定されている

戦車の形はほぼそのまま！ とかなり大胆な本作例。プラス水鉄砲をモチーフにしてワザとオモチャっぽさを全面に押し出すなど、オモシロ方面に突き抜けた方向性は「うーん、なるほどその手が！」と唸らされるだろう。要素の引き算も絶妙だ。
「戦車モチーフの轟雷と戦車のミキシング……簡単なようで、実際にどうまとめるか、先人のミキシング方法と被らないようにとか、新しいミキシングのかたちを……とか、悩んだ部分も多かったです。今回はあくまで〝戦車要素が主役〟と考えて製作しました。主役の戦車をなるべくそのまま使用したり、轟雷側の主張の強いパーツをプレーンなパーツに変更したり、また戦車砲がいちばん強い武装に見えるように戦車砲より大きな武装類は使用しませんでした。あとは遊び心も大切ですね！ 膝を曲げるだけの変形はとくに気に入ってます。普段スケールモデルを作らないという方も、自由な発想でチャレンジしてみてください（ke-i）」■

海

небо дети·Яся《ニューポ ジェーチェ・ヤーシャ》

небодети·Яся
(ニューポ　ジェーチェ・ヤーシャ)
コトブキヤ　ノンスケール
インジェクションプラスチックキット
「フレームアームズ・ガール
フレズヴェルク」改造
発売中　税込7040円（税別6400円）
製作／**Guntie**

●しんかい6500とトライトンに、M.S.Gやフレームアームズのパーツを使用して作り上げたサルベージ用の装備。基部や搭乗スタイルに、意外と元のフレズヴェルクのエアバイクの面影が残っているのに気付かされる

キット購入などにかかったお金は……¥8654!!

●メインの使用キットとしてハセガワの「しんかい6500」とアオシマの「トライトン」を2割引きのお店で購入。そのほか、新たにセレクターライフルやフレームアームズ グライフェンなどを購入

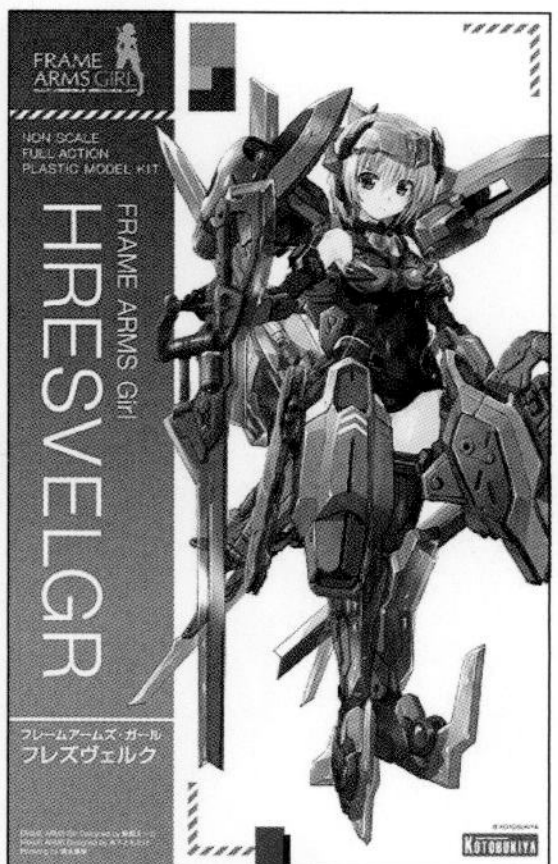

●Guntieによる海をモチーフにした作例は、潜水艇と組み合わせた退廃的な雰囲気が味わい深い仕上がりとなった。氏による脳内設定はこうだ。「大地のほとんどが海中に全て沈んでしまい、人類文明が滅んでしまった地球。海底からサルベージしたもので細々と生活しているキャラバン船団が、墜落した宇宙船のなかからサルベージした、両脚の潰れたガイノイド。起動に成功するもAIは赤子同然。失った両脚に義足をつけられ、ヤーシャという名前を与えられ、船団の子として育てられた彼女はガイノイドである事を生かし、自作したサルベージ作業船で手伝うようになる」

海より来て、海に潜りゆくガイノイド

"FRAME ARMS GIRL небо дети•Яся"
FRAME ARMS GIRL HRESVELGR besed
KOTOBUKIYA Non-scale Injection-plastic kit
Modeled and described by Guntie

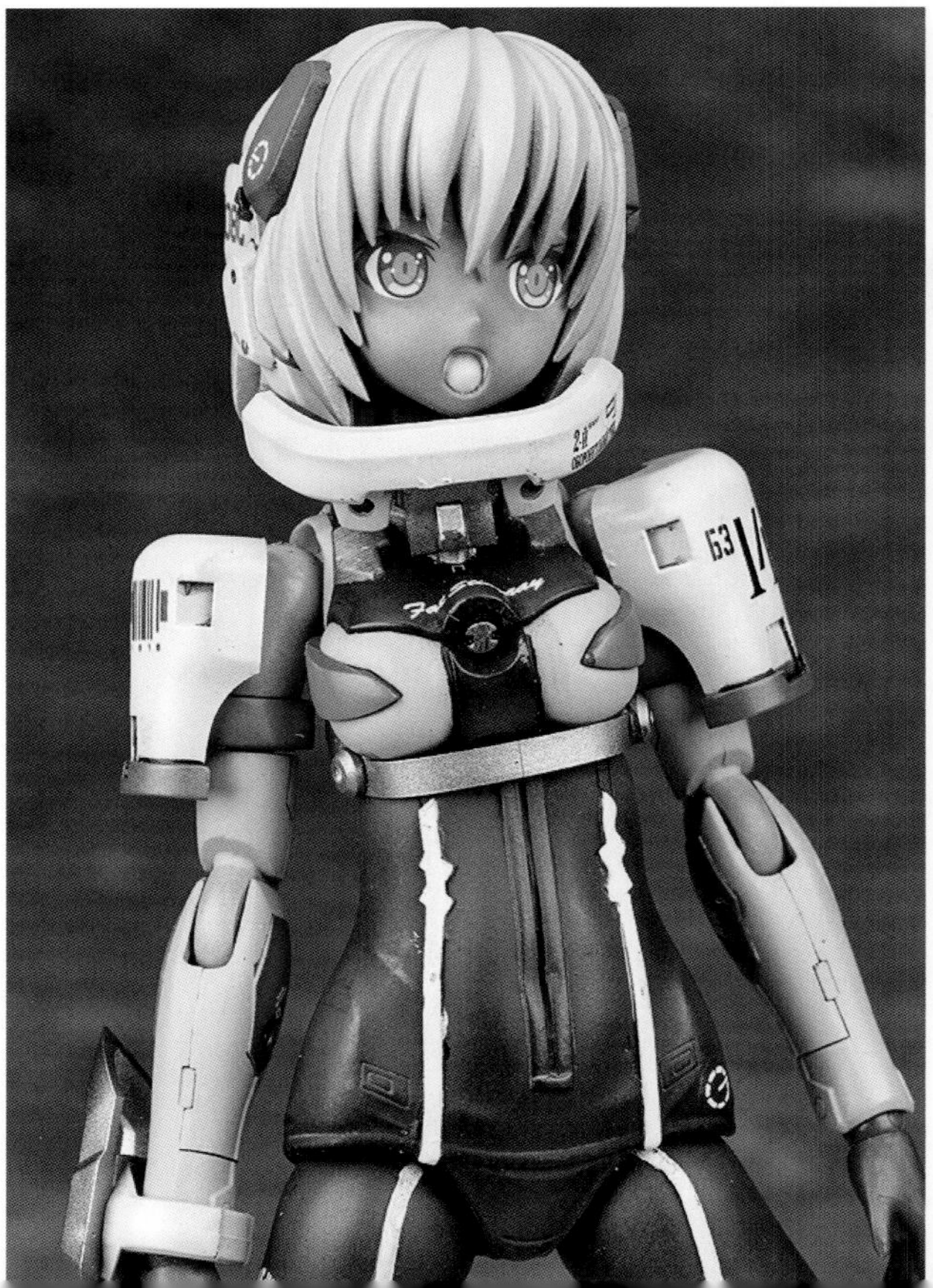

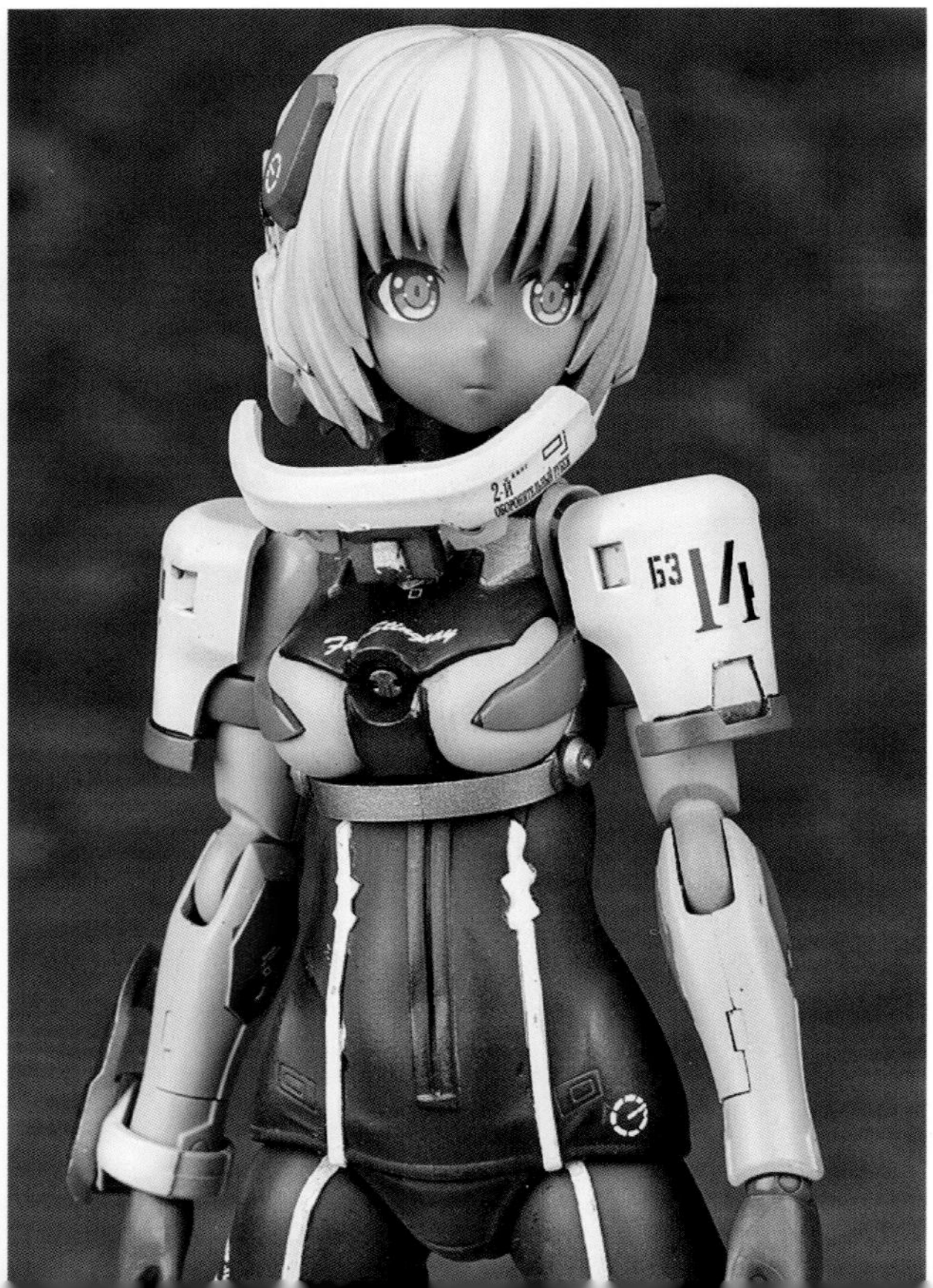

◀トライトンのパーツを使用している側面ポッドにつけられたヒレや後部のスクリューなどはフレズヴェルクのクリアーパーツを使用しているが、ポストアポカリプスな脳内設定に馴染まないとして塗りつぶして使用している。本体の足首から先は通常時の板状のユニットから、サルベージ装備の際は丸い水中用スラスターに換装する

▲メインのマニュピレーターをM.S.Gのフレキシブルアームから、大型の副腕をフレームアームズ グライフェンのパーツなどを用いて製作。展開するとシルエットがガラリと変わるのがおもしろいところ

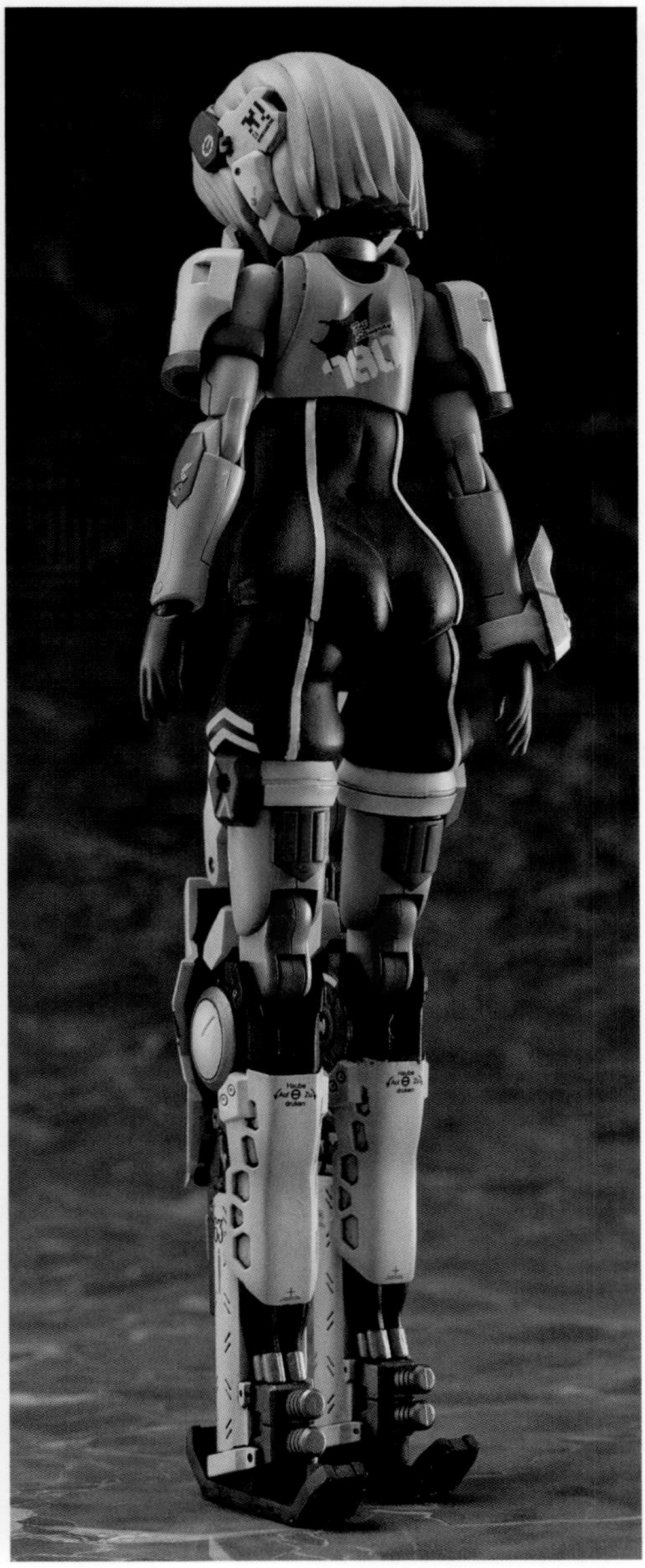

●フレズヴェルクはもともとスクール水着モチーフの姿をしているが、今回はそれを生かしつつ潜水服風としている
●どことなくガイノイド、オートマタとしての悲哀を思わせる義足はセレクターライフルを使用。無骨なラインが非常に印象的だ

海のスケールモデルとのミキシングビルド、と聞くと戦艦などとの組み合わせを想像してしまいがちだが、潜水艇を使用するという意外なセレクトをしたＧｕｎｔｉｅ。結果、見れば見るほど作品から物語がにじみ出てくるようなＦＡガールが仕上がった。単純なかわいさ、カッコよさとは違った、〝もののあはれ〟を感じさせるＦＡガールだ。

　この作品を支えているのは、やはり氏の世界設定から考える妄想力の高さだろう。一朝一夕で真似できるものではないが、ぜひ誌面に穴が開くまで見ていただきたい。

「魅力的なパーツの多いフレズヴェルクですが、今回はそのほとんどを使わずに製作しましたのでかなり元の印象から離れた作品になりました。スタイリッシュなカッコよさのあるフレズヴェルクを、あえてまったく違う方向性のキットとミキシングビルドしてみる、というのもおもしろい作品ができると思いますので、興味を持っていただけたらやってみてくださいね。（Ｇｕｎｔｉｅ）」■

空

スティレット ミラージュ

スティレットミラージュ
コトブキヤ　ノンスケール インジェクションプラスチックキット改造
「フレームアームズ・ガール スティレット」
発売中　税込5280円（税別4800円）
製作／**ファジー**

●ファジーが手がける空がテーマのミキシングビルド作品。スティレットと戦闘機を組み合わせて、キュートな魔法少女を作り上げた。流用パーツの貼りあわせで構成されているにもかかわらず、そのコーディネートのかわいらしさは白眉。スケールモデルとのミキシングビルドのが本企画のテーマだが、君だけのかわいいFAガールを作るにあたっても、大いに参考になるだろう！

◀通常時はこんなカンジ。ミラージュの機首は腰マント中央部に取り付ける。パーツをキットふたつ分使用して、量感を増したツインテールも見目麗しい。カラーリングは当初はミラージュを意識した水色迷彩だったが、しっくり来なかったのでより魔法少女のイメージを強めたバイオレットで塗装

"FRAME ARMS GIRL STYLET MIRAGE"
FRAME ARMS GIRL STYLET besed
KOTOBUKIYA Non-scale Injection-plastic kit
Modeled and described by FUZZY

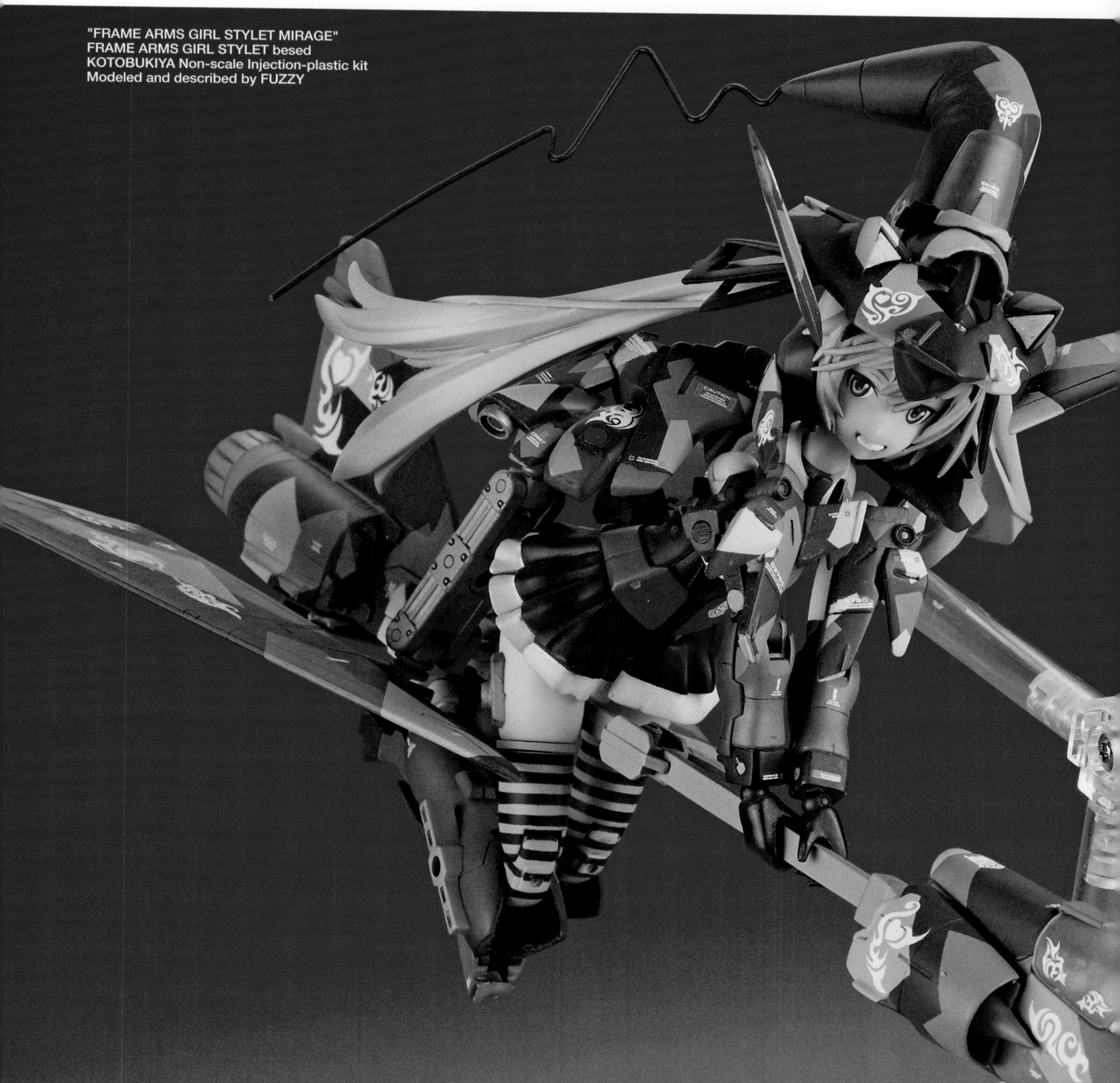

キット購入などにかかったお金は……
¥7200!!

●ミキシングに使用したタミヤのミラージュ2000C自体はわずか900円とリーズナブルなのでふたつ購入。途中イノセンティアのパーツを使用したぶんがちょっと嵩んだか。そのほかユナイトソードなどを購入した

蜃気楼の魔法少女

●杖にまたがり、機首と腰のマントを接続することで、飛行形態に。魔法の杖や箒で空を飛ぶ姿をイメージした形態だが、簡易的ながらフォルムがミラージュを形作るのはナイスアイディア。強度も高い

●各部のマーキングはハイキューパーツのタトゥーデカール「ハート」を使用。魔術的な雰囲気がよく出ている。スカートの丈にも注目されたし！

●バックショット。機首コクピットにはフレームアーキテクト付属のカメラアイが内蔵

ある意味今回の企画ではいちばん直球なファジーの作例。スティレットの持つかわいさのポテンシャルを極限まで高めたチャーミングな作例に仕上がった。ミキシングの考え方はもちろん、本体の顔や髪の毛、服の改造など、カワイイの強化には存分に役立つヒントが満載の作例と言えるだろう。

「今回の企画で改めてスティレットと向き合いましたが、特殊な条件のおかげでいままでの自分では発想できなかったような新しい発想でまとめることができました。FAガールの改造は、ときにはどのようなパーツを使えばいいのかわからなくなってしまうことがあるかもしれません。そんなとき、あえて制限を加える事で、限られたプールのなかで頭をひねる楽しさがあるのだなぁ、と発見できました！（ファジー）」■

▲▶ケープは背中に接続する部分をスティレットの腿、膝アーマーと、イノセンティアの各種耳パーツを組み合わせて製作。基部にM.S.Gのフレキシブルアーム B を用いることで、腕を曲げた時に干渉しないよう、可動するようになっている。また、襟パーツもスティレットの腿アーマーを用いて製作。肩に接続されたケープパーツは、スティレットの腰アーマーを左右に分けて使用し、それぞれにスティレットの脚部の白いウイングパーツも貼り合わせて、それらしく見せている。ブラ棒接続で回転するため、こちらも腕の可動は妨げない

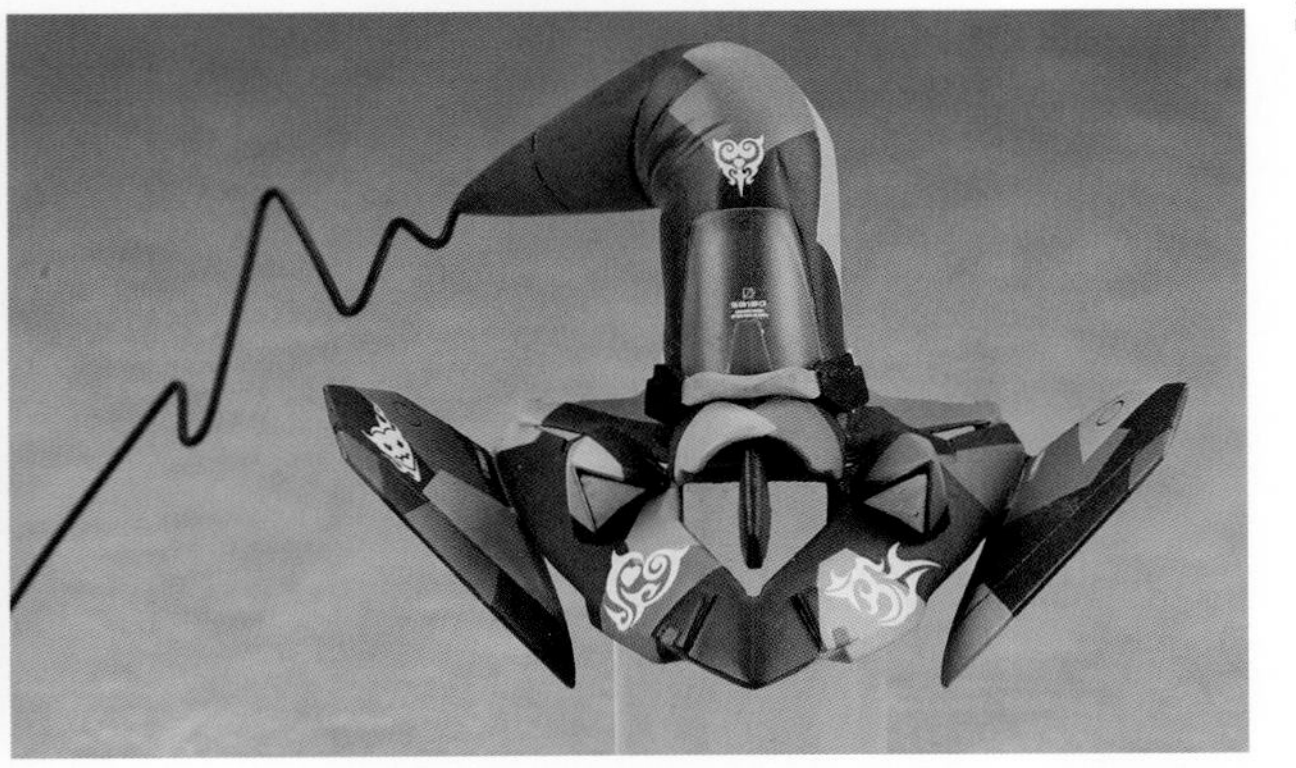

Let's ミキシング！

●そんなわけで三者三様のミキシングビルドをお届けしていった。漠然と「カスタマイズか～」と考えるとなかなか思考がまとまらないことも多い。なので今回のようにスケールモデルに絞ってみたり、あるいは任意のフレームアームズ1体と……というようにテーマを絞って取り組むのは非常にオススメ。ぜひFAガールカスタマイズの奥深さを楽しんで欲しい！

FAガールを ドールとして楽しむ

美少女プラモデルとして大きな人気を集めた『フレームアームズ・ガール』だが、我々モデラー以外にも同シリーズに注目している勢力がある。球体関節人形やレジンキャストドールを嗜む人々だ。「単に着せ替え人形ってこと？」と思ったら大間違い。彼らも日々、人形に着せる洋服や合わせるアクセサリー、撮影用の小物などをDIYで作り出しており、その工作技術はモデラー各位も目を見張るものがある。今回はそんなドールを楽しむ人々にFAガールを手にとってもらってインタビュー。その楽しみ方についてお聞きした。

●アニメ第４話ではFAガールたちが自分たちのお部屋を作るエピソードもあり、そのものズバリなドールハウスも登場した。

今回お話をうかがったのは、ドールをきっかけに洋服製作やレジンキャスト製ミニチュア製作などの、いわゆる「ハンドクラフト」にハマった女性の姿を描くマンガ『はんくら日和』を手がけた佐野まさき氏。さらに、氏の友人でありワンダーフェスティバルやAK-ガーデン（※1）に出展しているそらとびえい氏にお話をうかがった。

佐野氏には先んじてフレームアームズ・ガール イノセンティアを渡し、普段氏が遊んでいるドールやアクションフィギュアなどのように楽しんでもらったうえで、今回のインタビューを行なった。

我々はついプラモデルということで、FAガールの遊び方にしても切った貼った盛った削った塗った……といった方向に目が行きがちなのだが、こうした楽しみ方、こうした手のかけ方もあるということを、今回はお伝えしていきたいと思う。と、いうかマジで方向性は違えど、かわいさや手の掛け方がヤバいんですッ！

◆

――今日はよろしくお願いいたします。

二人 よろしくお願いします！

佐野まさき（以下佐野） さっそくイノセンティアちゃんを連れてきたんですけど……。

――うお～！　収納方法がもうカワイすぎる！（下写真参照）そうですよね、ただ箱に入れるだけだと硬くてかわいそうかもしれませんね……。なるほどなあ。さっそくですが、プラモデル的なものとしてFAガールに触れてきた者としては不思議なことだらけなんですが、このお洋服の材料はどちらで買われるんですか？

佐野 いや、そんなに珍しいものでもないですよね？

そらとびえい（以下そら） 人間の服と同じでユザワヤとか。あとは100円均一ショップ（以下100均）で買いますね。100均の端切れでもぜんぜん使えますよ！

――今日イノセンティアちゃんが来てるお洋服は……

佐野 今日はそら（とびえい）さんのね、作ってくれたお洋服でね。

そら じつは武装神姫（※2）サイズで作っているのでちょっと小さいんですけど。

――靴は革製なんですね。

佐野 そうです！　これはドール用の靴を作られてるディーラーさんで買いました。

――こうした革はどちらで買えるものなんですか？

佐野 革はやっぱり「革屋さん」だと思います。浅草橋とかに専門のお店があるんですよ。よくお芝居とかテレビ業界の方も買いに来るお店が。

そら あと東急ハンズにもありますよね。ちょっとお高いけど（笑）、質はいい。

――そらとびえいさんはこうしたお洋服をどういうきっかけで作りはじめたんですか。

そら きっかけはワンダーフェスティバルですね。友達と遊びに行ったんですが、そこでまず武装神姫というフィギュアがあること自体を初めて知ったんです！　同時にお洋服を作ってる方がたくさんいるのも知って……これはかわいいな～！　って思って、それではじめました。

――それでいきなりはじめちゃうのもすごいですね。決意したあとはどう技術を習得していったんでしょうか。

そら 私は独自に……なんかやってみたらできましたね。

――教本などは読まずに？

そら まぁ持ってる技術は家庭科の授業で習った程度なんですけど（笑）。でも人間の服の作り方は参考にしましたけどね。手芸の本とか。サイズをちっちゃくなるように数値を書き換えながら作っていきました。

●インタビュー中に、ふたりが連れてきてくれたイノセンティアに持ってきてもらったお洋服を着せているところ。同じ模型、それも手を加えていないパチ組みのものであるのに、着てる服が違うだけで「おしとやかそう」「ヤンチャそう」と想像してしまうキャラクター性を発揮している

▲佐野氏がインタビュー会場に持ち込んだイノセンティアの収納ボックスがカワイすぎるので撮影。お菓子の箱だが、内部には毛布が敷き詰められ、クマのぬいぐるみやバッグ、クッションもセットされ、非常に快適そうな空間ができあがっている

◀はんくら日和
佐野まさき　著　双葉社　刊
発売中　税込1100円
●「WEBコミックアクション」で連載された作品。作者の体験をもとに、ひょんなことからドールを手にした主人公がハンドクラフトの世界にのめり込んでいく姿を描く

※1　AK-ガーデン／ミニドール、ミニチュアをテーマにした展示即売会
※2　武装神姫／'06年よりコナミから発売されていた美少女アクションフィギュアシリーズ

佐野 ドール服は薄い布をいかに探すか、みたいなところがあるんですよね。

——確かに、小スケールのドール服って、布が厚ぼったくて服に着せられてる感があるイメージがこれまであったんですけど、このお洋服はすごいFAガールのスケールから見ても違和感ない薄さですね。人間と同じ服の生地を使って、寸法を変えて作っても厚みはそのままになってしまいますもんね……。こうした薄い生地を探すノウハウってあるんですか？

そら いや、ノウハウというほどのものはないですね……。

佐野 あ、でも例えば日暮里には繊維街っていう、布の問屋さんがたくさん並んでるところがあるんですよ。そこは安くて種類もいっぱいあるんです。だからイベント前はドール服のディーラーさんがよく繊維街に買い物にいってらっしゃったり。

——うわぁ～、なんというかそういう情報ひとつひとつが新鮮です……！ たとえば、材料や工具はすべて家に揃いました、となったときに手を動かしはじめてからどのくらいの期間で一着作れるものなんですか？

●佐野氏に、自由にイノセンティアを着飾って写真を撮ってみてください、と依頼したところ送られてきたのがこのページの写真。生活感あふれる背景や小物、キュートな衣服がイノセンティアに活き活きとした魅力を与えてくれている

服を着せるならイノセンティア

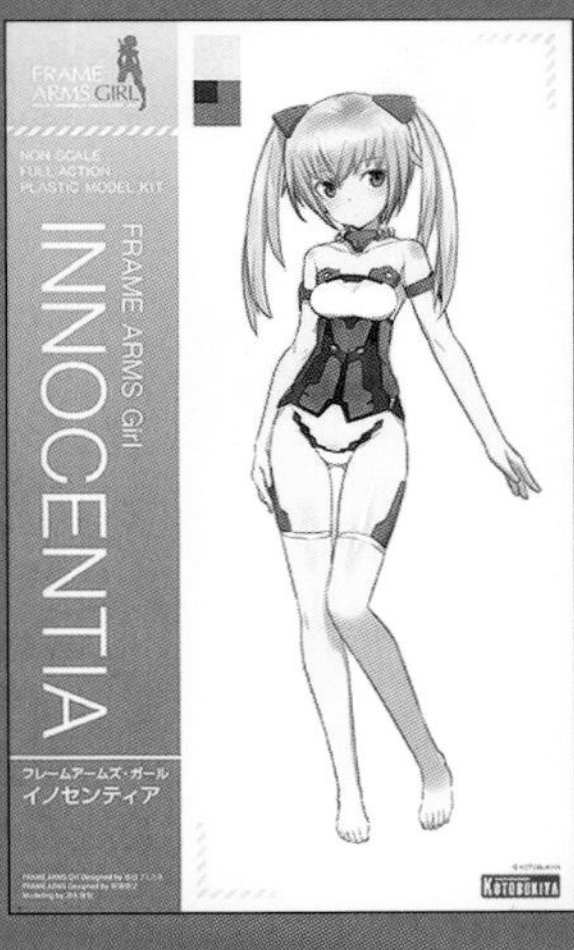

フレームアームズ・ガール イノセンティア
発売中　税込4950円（税別4500円）
●お洋服を着せるのに非常におすすめな素体がイノセンティアだ。FAガールのほとんどは、フレームアームズというロボットの擬人化なこともあってか、四肢のデザインもどことなくロボットっぽい。が、このイノセンティアは四肢にメカニカルなモールドも入っておらず、成型色もフレッシュで統一されている生っぽさNo.1のFAガールなのだ。スカートから脚が出ても気にならないのがウレシイ！

そら 型紙から作りだしたら……そうですね、型紙作りにけっこう時間がかかるんですけど、休日まるごと1日とか2日……くらいかけちゃいますね。

——型紙だけで思ったより時間がかかるものなんですね。

そら なかなか一発では決められなくて。試作を繰り返しながらいじっていくカンジですね。

——そうか、パーツの断面そのままというわけにもいかないですもんね。着せるのなら少し大きめに作らなきゃいけない……

そら サイズ合わせはほんとmm単位で調整するんですけど……布の厚さも関わってくるので大変なんですね。

——ああそうか、布の厚さはプラモデルのように削って薄くしたりとかはできないですもんね。

佐野 同じ型紙を使っても、生地が変われば着せられなくなったりするんで。生地が変わったときは同じデザインの服でも型紙は作り直しでしょうね。

——それにイベントで販売しようと思ったら量産しなければいけませんもんね。模型の世界だとシリコーンゴム型とレジンキャストで同じものを量産できるんですけど、いうなれば服は一点一点がフルスクラッチビルドみたいなものですもんね。

佐野 でも、ドール服にも「キット」がありますよ。

——と、言いますと？

佐野 型紙どおりに裁断した布パーツをセットして販売してたり。あとはガイド通り縫えば作れるよ、というのもあります。でもやっぱりみなさん難しいからってできあがってるほうを買いがちですよね。

そら ですねぇ（笑）。

——（イノセンティアの写真を見せてもらって）なんとなく、ドール系の方々の楽しみ方って……たとえばプラモデルなどの、模型の界隈だと作品単体でカッコいい、かわいい、というところを見せていく人が多いんですけど、ドールの方々は小物とかシチュエーションとかもこだわって、人形単体のカスタマイズというよりは、例えば互いに見せ合う写真のなかで、総合のコーディネートを追求していってるカンジですよね。

佐野 そうですね。小物にはこだわります。でも100均だっていろいろ小物は揃うんですよ。例えばこれはスチレンボードに床の補修用シートを貼ったものなんですが……（サッと取り出して）。

——おぉ、すごくフローリングっぽい！

佐野 こういうのを作って、背景に使って写真撮ったりするんですよ。簡単にできて安く作れておもしろいですよね。

そら 床に貼ったり壁に貼ったりして見立ててますよね。

——しかし、改造をしてないのに着ている服が違うというだけで全然違うFAガールに見えますね。すごいなあ。

佐野 完全に別の子ですよね。

そら 趣味がすごい出ますね。

——こうしてFAガールにお洋服とか着せたいと思い立った人に、おすすめのコースはありますか？

佐野 いちばん手軽なのはアゾンさんでお洋服を買うことですかね。「ピコニーモ」シリーズなら着れるものが多いです。

そら あとはやっぱりAKI-ガーデンとかのイベントもおすすめですね。本当にいろんな方がいらっしゃるので、おもしろいです。ぜひ覗いてみてほしいです。

佐野 それから100均にはかなり「使える」カワイイものがあるので本当にオススメです！ 繊維街とかにいきなり行くよりは、まずは100均です。

そら 繊維街では売ってる単位が1m～とかですからね……（笑）。

佐野 100均にもけっこう薄い布は揃ってますからね。スチレンボードや絵の具もあるし、椅子や背景みたいなミニチュアも。

——え、ミニチュア系もありますか。

そら ミニチュア系は完全に我々ドール勢がターゲットですよね。

佐野 まずは100均でかわいい小物を揃えて写真を撮ってみるっていうのはすごくいいと思いますね。

——なんだかすごく100均に行きたくなってきました……！ よろしかったらこの後ごいっしょしてもらってもよろしいですか!?

佐野 ぜひ行きましょう！

——ではかわいい小物探しに100均に、出発!!（その成果はP78～にて……）■

ちょっぴりセクシー(?)なショーパンスタイル

●夏の水遊びセット／暑い日用を想定したコーデです。お気に入りのポイントはお腹がチラリと見えるところ。ショートパンツは足まわりが曲線なので、縫うのが難しかったです（そらとびえい）

赤い和ゴスはイノセンティアにピッタリ！

●和風ドレス／お祭りやお正月など、行事の際のお出かけ用として作りました。袖口に胸元につけているのと同じ水玉模様の黄緑の布を使っているところがお気に入りです。スカートの腰まわり部分の布の厚みが極力出ないように、気を使いました（そらとびえい）

FAガールの fashion check!

前ページでは、FAガールなどのアクションフィギュアをドール的に楽しむおふたりに話を伺ったが、こちらでは実際に両者がお持ちのお洋服やいっしょに楽しめる小物などを紹介しよう。そのカワイイさをしかと目に焼き付けてくれッ!!

Model Graphix 2017年10月号 掲載

涼しげニャンコの猫ワンピ

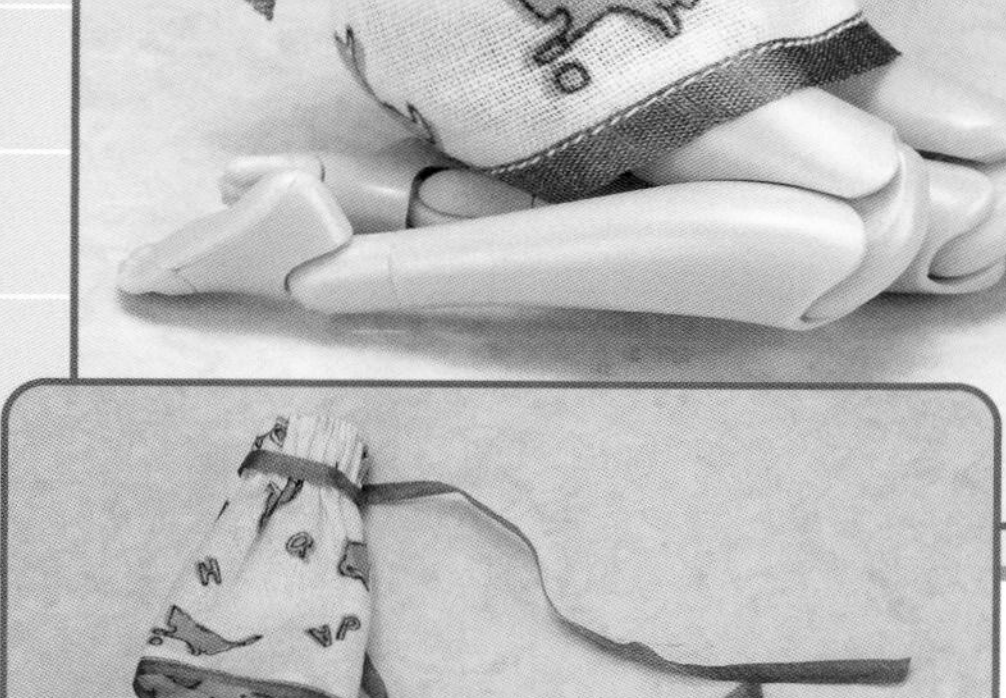

●夏のワンピース／夏のお出かけ用です。海辺をイメージして作りました。着せてあげるとふんわりとして涼しそうなところがお気に入りです。製作時には胸元のギャザーの加減に苦労しました（そらとびえい）

さわやかカラーの春ワンピ

●緑のしましまワンピース／春のお出かけ用です。お気に入りのポイントはスカートの広がりです！　ウェスト部でキュッと締まるようなフォルムになるよう作ってみました（そらとびえい）

打ち上げ花火、彼女と見るか、FAガールと見るか？

●浴衣／夏といえば浴衣ということでイノセンティアにも作ってあげたいな、と思い製作。このサイズになると生地の厚さにくわえて、ちょうどいいサイズの柄が得られるかどうかもポイントで、ちょうどいい生地を見つけるのに苦労しました。髪と瞳の色にあった生地とユザワヤで出会えて大満足の浴衣です（佐野）

甘辛的なコーデで

●桜のコートと迷彩コート／桜のコートをお花見に、迷彩コートは秋に向けて作りました。桜のコートは裾の広がり、迷彩コートはポケットが大きいところがお気に入りです。迷彩コートはポケットに手をいれることもできますよ。襟まわりにはリボンをつけて、生地の端が出ないようにしました（そらとびえい）

FAガールにも寝室は必要です

●ベッド／こういうサイズのベッドがなかなかないのと、既成品はプラスチック感が強いので少しカントリー調のリクエストで、友人のドール用家具などを作っているえだまめやさん（Twitterアカウント：@edamameya）にオーダーしました！　布団の柄で雰囲気も変えられ、お着替え感覚で楽しめます（佐野）

圧巻！FAガール用の和室！

●和室／和物流行りな時期だったので、ベッドと同じくえだまめやさんにリクエスト。障子は必須アイテムとして、床の間や袋戸棚と違い棚も必須かな？ と部分部分でリクエストが増えていきました。さらにこの和室は組み立て式で、持ち運びが可能です。ドールのオフ会などにも持っていけるのがうれしいポイントです！（佐野）

100円で見つけた! カワイイ小物♥

〜めざせインスタ映え〜

FAガールを写真に収める際、散らかった机の上とかで撮るとかわいくないし、背景や照明を用意しないとね！ でもちょっと待って！ そのほかにも用意しておくといいモノがあるんです。それは「カワイイ小物」！ FAガールと並べるだけでカワイさが際立つ小物を、100円均一ショップで見繕ってきましたッ！

Model Graphix
2017年10月号
掲載

カワイイはワンコインで買えるのだ!!

たとえばFAガールを座らせて写真を撮る際、無地の背景にチョコンと座らせてもかわいいが、ちょっと無機質な、悪く言えば商品撮影っぽい雰囲気が出てしまいがち。でもそのとき、かわいい椅子に座らせたらどうだろう？ FAガールが望んでその椅子に座ったような、活き活きとした写真が撮れちゃうのである！

これを使わない手はない。カワイイ小物をガンガン仕入れて、FAガールといっしょに並べてカワイイ写真を量産するのだ！

「でもそういう小物って高いやろ！ 簡単に揃えられないよ〜」という方もいるかもしれないが、心配ご無用。FAガールに合う撮影小物は100円均一ショップ（以下100均）にもた〜くさんあるのだ！

狙い所は最近増えてきたクラフトコーナー。レジンアクセサリーをはじめとしたハンドクラフトの流行で、小さいチャームなどがたくさん揃えられている。

そしてインテリアコーナー。小スケールのミニチュアがたくさんあり、なかにはFAガールサイズの家具や食器も!?

そしてなにげにいろいろあるのがスイーツ用品のコーナー。スイーツ用のデコアイテムやカワイイ形にチョコを固められる型など、使えそうなアイテムがいっぱい！ まずは本コーナーを見つつ、お近くの100円均一ショップに攻め込んでみてほしい。■

100円均一ショップはここを見ろ！
①クラフトコーナー
②インテリアコーナー
③スイーツコーナー

▶大小2サイズを買ってみたが、これらはサイズで役割が変わってくるのだ。たとえば大きいカゴにFAガールを入れれば、まるで一時期流行った「猫鍋」のようなキュートさではないか。これはこのまま1/1な姿だが……

カゴFAガール！

カワイイ1 大小のカゴ

●パッと見で「なんとなくカワイイ」空気を醸し出しているカゴ型の小物いれ。本来はたぶん鍵とかクリップとかをしまっておくものなんだろうが、FAガールと合わせるとじつにカワイイ

◀小さいカゴを腕に抱えさせてみるとあら不思議。まるでお買い物中みたい。こうするとFAガールのスケール感が等身大みたいな演出になってくるというわけです。こうした演技をさせられるのも小物撮影の魅力ですね

カワイイ2 キュートな背景

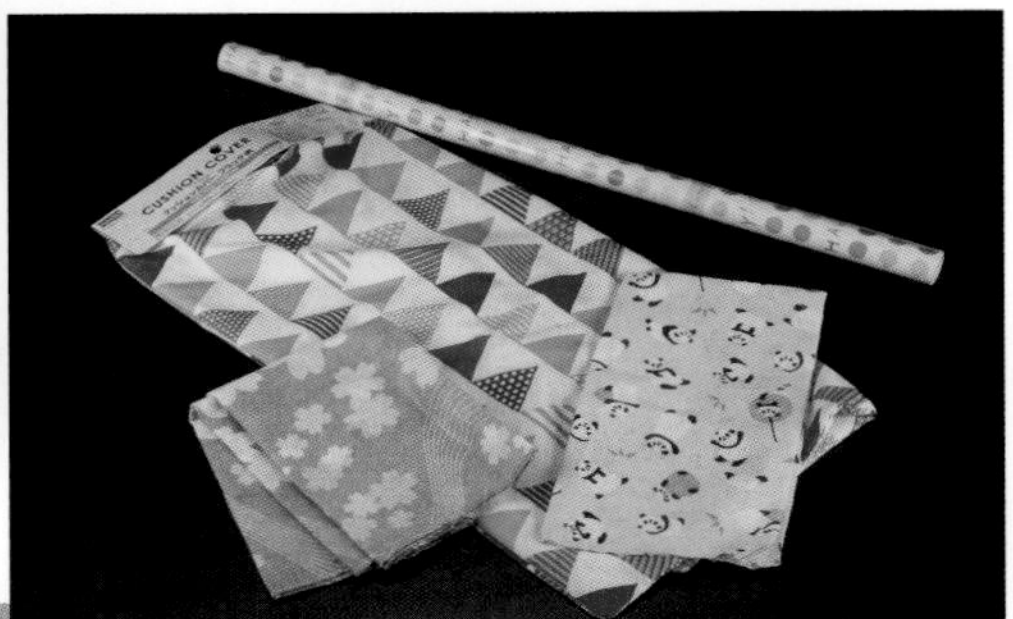

▶このとおり、ただ敷くだけで圧倒的に絵面がポップでかわいらしくなった！

●カッコいいプラモデルを撮るというだけなら無地の背景で撮影すべきだろう。だが考えてみてもらいたい。我々がいま向き合っているのは、美少女プラモデルなのだ。ならば背景もかわいくしていくべきではないか。100均には、包装用の紙やカーテン、あるいは手ぬぐいなど、カワイイ柄のついた背景になりそうなものがいっぱい！ なるべく色鮮やかなものがいいだろう

カワイイ4 額

●こちらはハンドクラフトにあったチャーム台座。本来はこの凹部にいろいろ入れてUVレジン液を流してアクセサリーに使ったりするのだが、これがまた額っぽくてカワイイ。金属製で質感もいいし。FAガールと絡めない手、なし

▶というわけで手近にあったFAガールのパッケージから完成見本写真を切り出して中にハメてみた。やった！　肖像画みたいでカワイイぞ。額を持ったイノセンティアの雰囲気もカワイイでしょ？　額らしく壁に小道具として飾ってみてもいいだろう。本来の用途どおりに、この上からUVレジン液を充填して固めると光沢も出てさらに雰囲気がよくなりそう

家族の肖像画です♥

カワイイ5 王冠

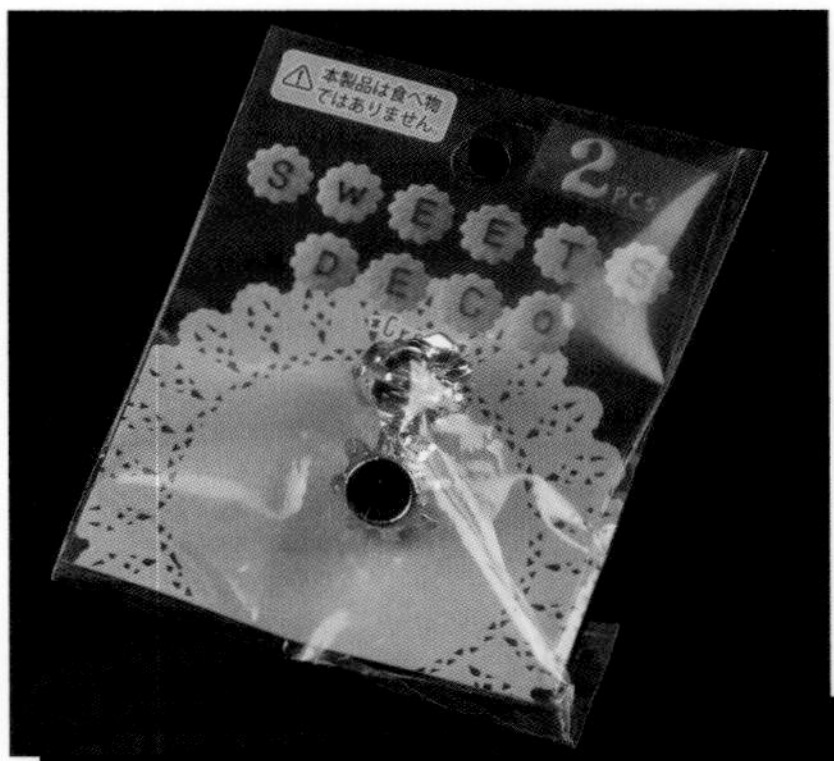

◀こちらはスイーツコーナーにあった王冠。食べ物ではなく純粋にケーキなどの上にデコるためのアクセサリーである。でもこのサイズ感、ミニクラウンとしてバッチリじゃん！

▼つけてみるとこんな感じ。ミニサイズの帽子や王冠は、正中線につけるより、片方に寄らせてつけるとカワイイですよ。固定にはブルタックなどの強力な練り消しを使うと便利

カワイイ6 紅茶セット

◀こちらはインテリアコーナーで見つけた小さな紅茶のセット。純粋にミニチュアらしいんですがこういうのって本来どこに飾るんですかね。……テレビ台の前とか？　まぁともかくFAガールにドンピシャサイズなので持たせてみましょう！

▶ほらカワイイ！　ちょっとカップが大きすぎて、紅茶というよりはアメリカの人が朝食のときにコーヒーをガブガブ飲むマグカップっぽくてお上品さは薄いかもしれませんが、ティータイムを楽しむFAガールたちというシチュエーションはかわいらしいですね！

カワイイ7 収納ケース

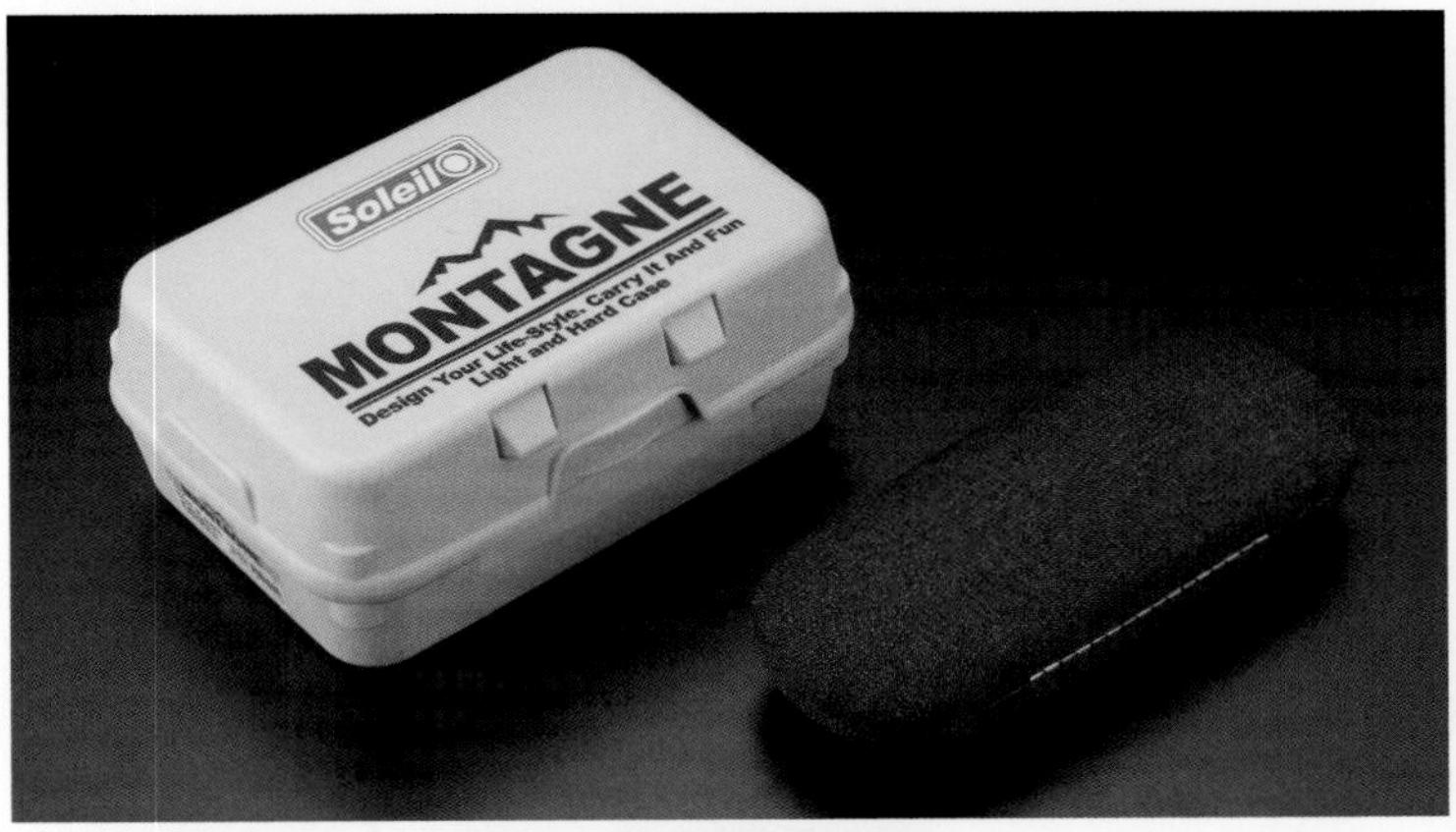

●こちらはちょっと「撮影用のカワイイ小物」というテーマからは外れるのですが、便利な100均グッズなのでついでにご紹介。こうした眼鏡ケースなどの収納ケース、FAガールサイズのフィギュアを収納するのにぴったりなのである。実際のところ、FAガールは現在主流の1/12スケールと比べるとほんの少し大きめなため、シンプルなメガネケースだと武装していないマテリアでギリギリ。写真上のケースなら、ゆったり入れることができるだろう。こうしたケースを用意すれば、気軽にFAガールと出かけられるぞ

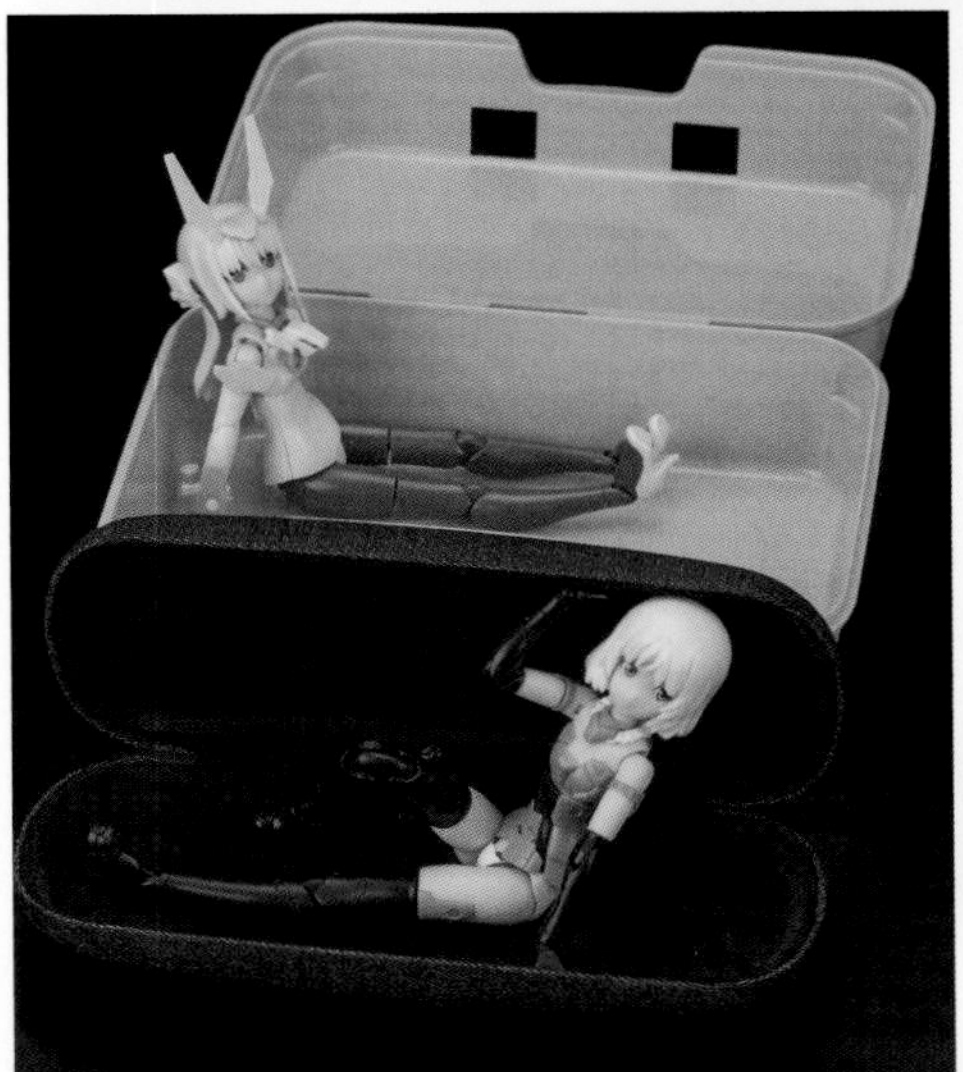

どこでもいっしょ!

カワイイ8 マスキングテープ

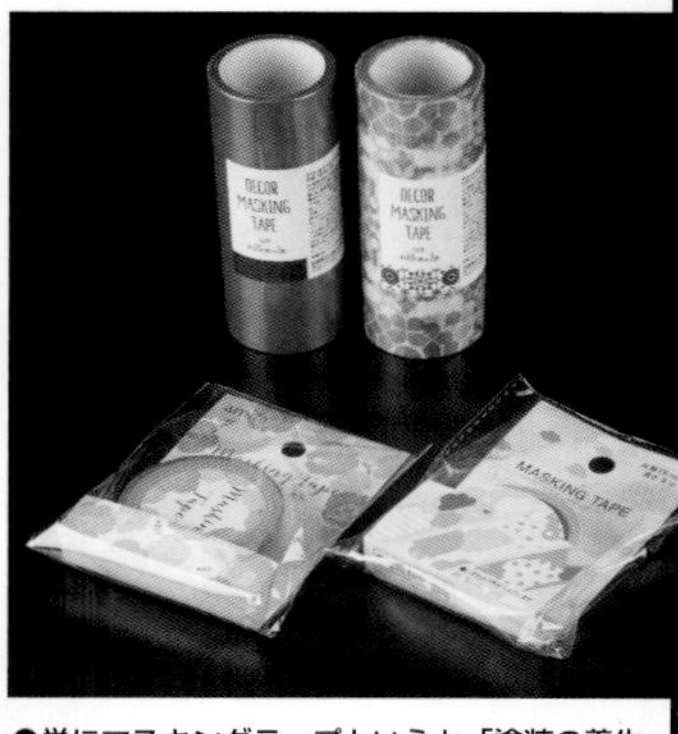

●単にマスキングテープというと「塗装の養生テープ」というより「かわいい柄の和紙テープ」と思われるようになって久しいが、このかわいい柄がFAガールの気軽なイメチェンには最適。さらに本体だけでなく……（⑨に続く）

カワイイ9 木箱

▶収納小物コーナーで見つけたスクエアな木箱！　ムム！　これはまさにアニメ『フレームアームズ・ガール』でみんなのお部屋に使われていたカラーボックス的な用途にピッタリじゃないか！　素材は木材丸出しだったので、ニスを塗ったり絵の具で色を付けたりしてもいいのだろうが、今回はお手軽、かつかわいくこの木箱を染めるために前述のマスキングテープを使います

マスキングテープで彩ればかわいいお部屋に変身!!

▼どうだ！　幅10㎝のデコ用マスキングテープを使ってみた。所詮マスキングテープなので耐久性は低いが、剥がれてきたら別の柄にすればよい

カワイイ10 ウッドクラフトと背景ボード

◀▲木製の机や椅子と、それらを並べるための背景ボードという驚きのグッズ。ウッドクラフトの机はレーザー裁断されており、手でくり抜けて嵌め合わせるだけで組み立て可能。これ100円でいいの？

▼背景は単体でもこんなカンジ！　要は印刷された厚紙なので、当然各部のディテールは平坦なのだが背景としては驚くほどの効果を発揮してくれるぞ。これは何種類でも欲しい!!「キャンドゥ」に売ってました

手軽にお部屋ができちゃう！

カワイイ11 クリップ

●こちらはカフェのイーゼル風のクリップ。チョークアートもそれっぽくてカワイイ～！
●とはいえFAガールと並べると少し小さめだったかな。でも雰囲気はめちゃめちゃイイ！ほかには冷蔵庫に貼るマグネットなんかにもカワイイ小物が充実していますね。みなさんも100均でFAガールを頭のなかに浮かべつつ、小物を厳選してみてはいかがでしょうか

戦う美少女プラモのお供に「リトルアーモリー」はいかがですか？

Model Graphix 2016年8月号 掲載

フレームアームズ・ガール（以下FAガール）付属とかM.S.Gの武装って、SFチックなものが多かったりしますが、実在（もしくはそれ風）の銃も持たせたいという向きも多いはず。そんな方、カスタマイズのお供として、そしてそのまま持たせても楽しい「リトルアーモリー」なんていかがでしょ？

■LittleArmory [LD006]
ガンラックB
（1/12　発売中
税込3850円）

集めて飾れ！ ここがオレの武器庫だ!!

●人（もしくは人型ロボ）なら武器はとっかえひっかえいろいろ使わせてあげたい……。そしてたくさん武器があるなら収納庫なんかもほしい……というあなたにぴったりのアイテム。

こちらのガンラックBは拳銃や弾薬箱などが収納できる引き出しを備えたタイプ。小銃をたてかけて保管できる小型ロッカーが備えつけられた**ガンラックA**（税込3630円）も発売中だ。これらの引き出しやロッカーは外してすべてを壁面ラックにすることもできるし、複数集めてジョイントで連結することも可能となっていて、ガンアクション映画なんかで見る、部屋の壁一面に銃がズラ～リ、というロマンあふれる光景だって作れてしまうのだ。

なお、写真でラックに配されている銃は**SCAR-Hタイプ**（税込1320円）、**M4A1タイプ**（税込1100円）**AA-12タイプ**（税込1540円）、**AKMタイプ**（税込1760円）、**M1911A1&コンバットコマンダータイプ**（税込1540円）など。また、マテリアが手に構えているのは**M870MCSタイプ**（税込1760円）のショットガンとなっている

リトルアーモリーってどんな製品なの？

▲この**64式小銃タイプ**（税込1540円）の場合はバイポッドが展収選択式だったり、木製部分が茶色で成型されてたり、銃剣が付属していたりと、この銃で遊ぶ場合に「ほしい！」と思える要素が過不足なく入ってます。そしてここからが重要なのですが、FAガールに無改造で持たせることができちゃうのです

リトルアーモリーは「1/12可動フィギュアとともに楽しめるミリタリーキット」というコンセプトで展開しています。もともとの開発契機は可動フィギュア向けの1/12小物キットが増えはじめた'13年に発売した「鉄道小物シリーズ 駅ベンチ」などがある程度売れたこと。「これが売れるならば、こういうアプローチの製品はどうだろう？」と立ち上げた企画がリトルアーモリーです。好きなキャラクターが好きな火器で武装する、そんな妄想を実現できればいいな、と思ったのです。

キット内容ですが、まず造形面ではいっさい妥協しません。そして可動フィギュアのユーザーにはプラモデルに不慣れな方もいらっしゃると思いますが、それでも20分くらいで組み立てられるように、また弾倉交換などで遊びの幅をもたせる、といったことを意識し設計しています。ラインナップはゲームに登場するような有名どころを中心にしつつ、「プラモを通じて実物を知ってもらいたい」という思いもあり、ややマイナーなものも意識的に取りいれています　**（トミーテック・開発担当者）**

フルオートでぶっ放せ!!!!

■LittleArmory [LA018]
AA-12タイプ
（1/12　発売中　税込1540円）
●4秒弱でドラムマガジン内の20発を撃ちつくす極悪ショットガンタイプ。近未来的かつどこか無機質なデザインは、FAガール本体を大幅アレンジ・改造しても違和感なく馴染んでくれることだろう。編集部的「FAガールに持たせてあげたいオススメ武器」上位アイテムだ

銃以外の武器も！ あそびがふくらむ！

▼ブリーチングツールA
（1/12　発売中　税込2750円）
●建物の壁やドアなどを破壊して突入する「ブリーチング」用のツールセット。ダイナミックエントリー用、ステルスエントリー用、両突入法共通でよく使うツール類がセットになっている

▲ゾンビハンターセットA
（1/12　発売中　税込2420円）
●ゾンビ映画・ゲームに登場するようなエンタメ映えに欠かせない武器をキット化。実用性はさておき、チェーンソーやら刀やら忍者刀、クナイ＆手裏剣、ツルハシに鉄パイプに鉄バットなんていう物騒すぎる顔ぶれが楽しいセットだぞ

不動如山！

■LittleArmory [LD003] ポリスシールドA
（1/12　発売中　税込1760円）
●武器があるなら、防具もなければ生き残れない！写真の機動隊風ジュラルミンシールドは大盾、小盾2枚セットでさすまたも付属。警備員的ないでたちにしてあげて、不審者を取り押さえるシチュエーションなどに使用するのはどうだろうか。そのほか、透明なポリカーボネイト製ライオットシールドと黒のバリスティックシールドをセットした**ポリスシールドB**も発売中だ（税込1760円）

ミリタリー以外も充実！ 学校チックなアイテムも！

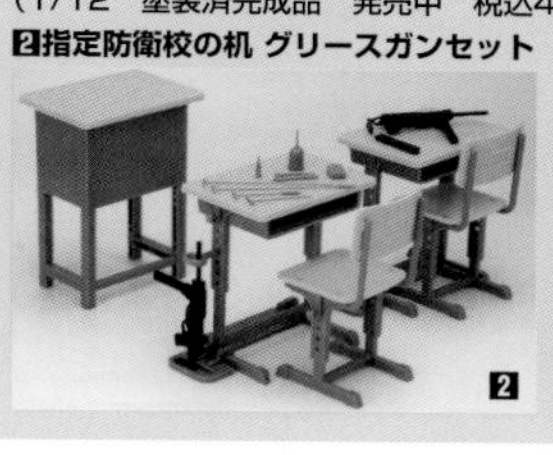

1 通学自転車（指定防衛校用）マルーン
（1/12　塗装済完成品　発売中　税込4950円）
2 指定防衛校の机 グリースガンセット
（1/12 発売中
税込3300円）
●ママチャリとか教卓とかも、FAガールにぴったりサイズでラインナップ

■LittleArmory [LA017]
M202A1 FLASHタイプ
（1/12　発売中　税込1540円）
●女の子が説明書を読む箱絵がなにやら某映画を思い起こさせるロケットランチャー。ランチャーだけでなく、ロケット本体ももちろん付属しているぞ。持たせてあげる際は、うしろの電話ボックスを吹き飛ばしてしまわぬよう前後の向きに注意だ。これにあわせてFAガールを改造するとしたら……特殊部隊風？　それとも筋肉モリモリマッチョウーマン!?

「説明書を読んだのよ！」→

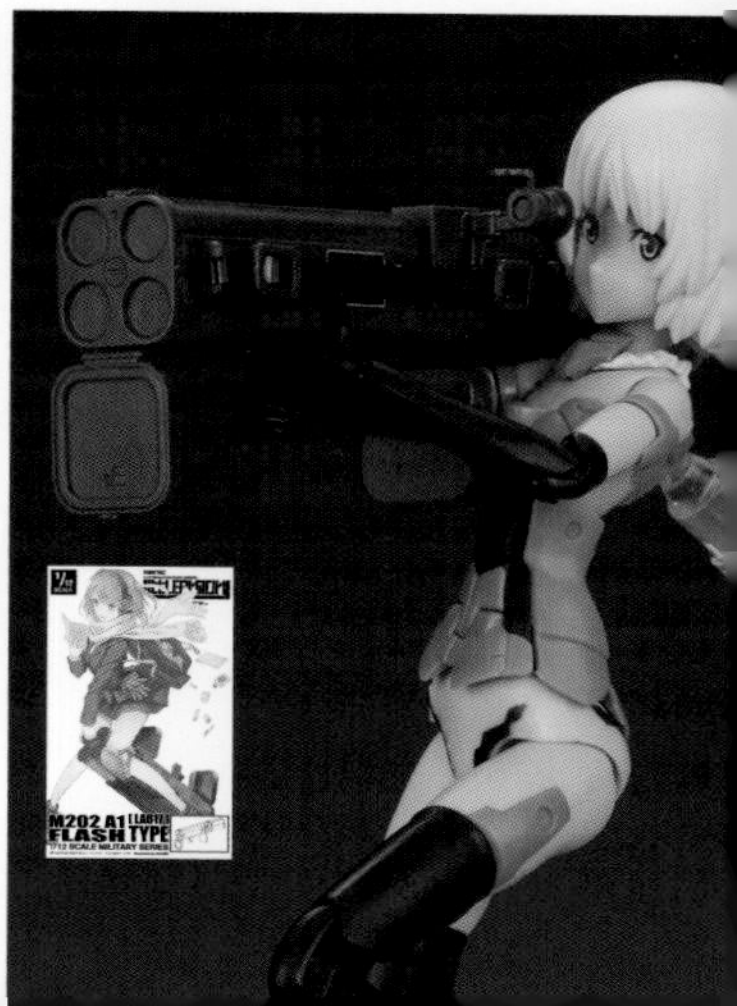

※このページで紹介している製品のうち、特記無きものについてはインジェクションプラスチックキットとなります。

いつもFAガールをポージングしてSNSに画像をアップしているけど、なんだかほかの人よりイケてない気がする……。FAガールマテリアのような可動ポイントが多く自由度の高いモデルは、なんとなくの手癖ではなくルールも理解してポージングすることが大事。可愛く見映えのするコツを理屈として覚えておけば、迷いなく良いポーズが決まるようになります！　可動フィギュアやドールなどの商品用写真のポージングも担当しているホビーライター白虎かなめ氏の解説で、可愛くなる基本ポイントをレクチャーします！

FAガール マテリアで学ぶ ポージング講座

講師：白虎かなめ

Model Graphix 2016年8月号 掲載

かなめ's point

●どんな立ち方でも頭から足先までが真っ直ぐにならず、全体でS字を描くよう意識しましょう。腰を少し前か横に出して、それが軸足に乗るように重心を決めると、残る上半身も決めやすいです。アゴは引くのが基本ですが、一度頭全体を後ろに引いてからアゴを引くと、オデコが突き出し気味になるのを防げます。顔と身体の向きを変えて少し斜めに立たせると立体感が出ます。肩関節は下げ気味にすると肩幅が広くだらしなく見えるので注意

▶後ろから。腰が前に出ていて、重心を右足に乗せているのがわかります。もう一方の足は爪先立ちや、ちょっと後ろに引くと変化が出ますね。

lecture1：立ちポーズ

▶NG な例。せっかく全身に関節が設けられた可動アクションモデルなのに、なんだかどこもかしこもまっすぐに関節が伸びていて、低年齢おんなのこ向けお人形さんのようなたたずまいである。脚もシャンとしていなくてどこかだらしないカンジ。これではマテリアのかわいさが活かされたポージングとは言えない

◀かなめ氏による立ちポーズ。頭からつま先までがS字を描き、肘や膝の曲がり具合も美しい。少し左膝を曲げたポーズと広げた手の広がりが、いかにも可憐な女の子といった雰囲気を醸し出している。少し小首をかしげた首と頭部関節の調整もお見事で、まるで持ち主の様子をうかがっているかのようなイキイキとしたポーズに仕上がっている

lecture2：座りポーズ

●腰を少し前に丸めてから足を曲げると自然な流れになる。最後に腰の後ろの蓋パーツを身体に沿わせておくのを忘れずに

かなめ's point

●股関節だけを90度曲げて座る……無機質なロボットっぽさを狙うならアリですが、可愛いポーズなら自然な身体の流れを意識したいところ。とくにマテリアはFAガールシリーズのなかでも腰に可動軸が追加されており、きれいに身体を丸めることができるのは意識したいポイント。関節が真っ直ぐと90度に近い曲がり方ばかりだと硬いポーズに見えやすいので注意。また腕や足の曲げる角度を左右で変えるとシンメトリー化を避け、ポーズのイメージがしやすくなります

▶座りポーズは立ちポーズにくらべて安定性が非常に高いため、展示の際にもおすすめのポーズではあるのだが……MG担当編集がとらせてみたポーズはなんだか演技がカタい。まるで「電源を入れられて起動したばかりのアンドロイド」といったようなカンジである。いや、そういった設定で遊ぶならいいのだが

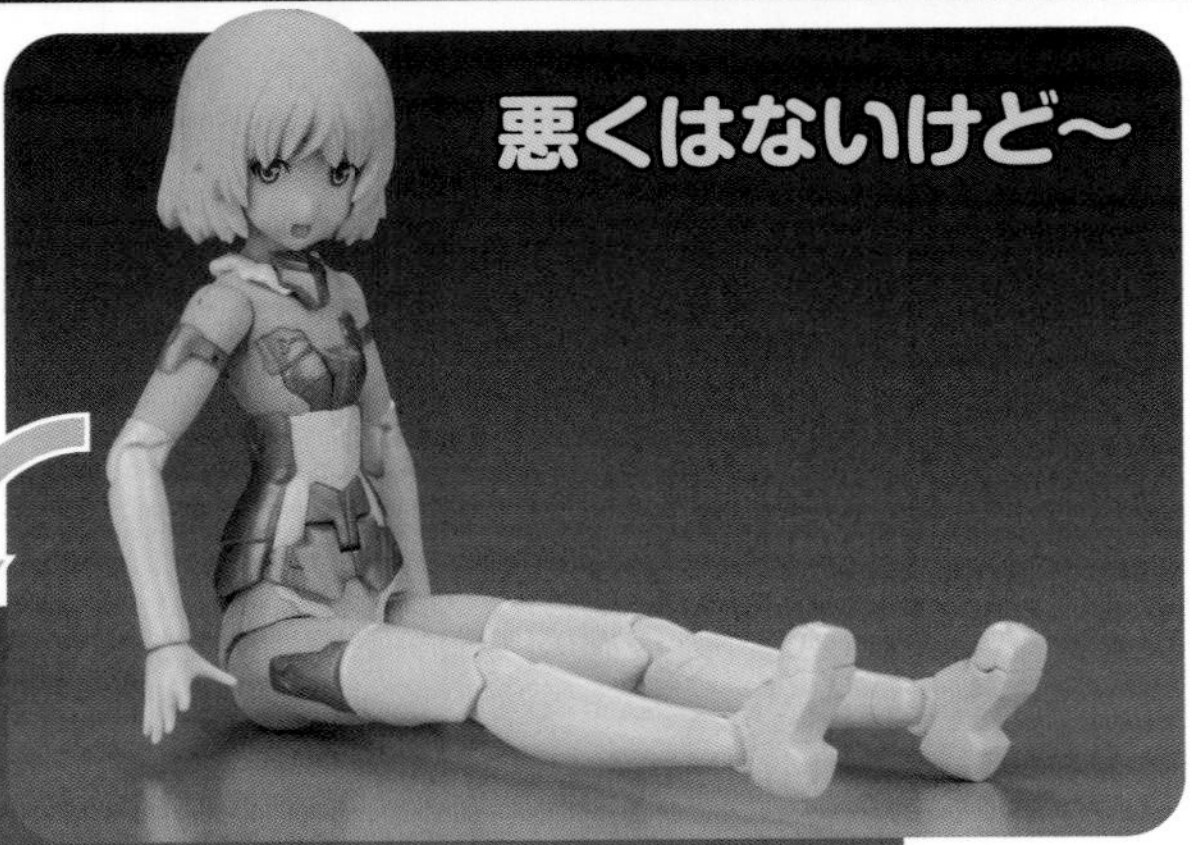

◀反面、かなめ氏のポージングによる座りポーズは仕草が非常に自然で、いまからこちらに話しかけてくるかのよう。マテリアには腰部分に前屈をさせることが可能な関節が設けられているので、活用したい

lecture3：寝そべりポーズ

▼今回のようなリラックスポーズ以外にも、たとえばライフルでの狙撃ポーズや、ダメージを受けて倒れているところなど、寝そべりから応用できるポーズも多いので、理屈を知っておいて損はないぞ

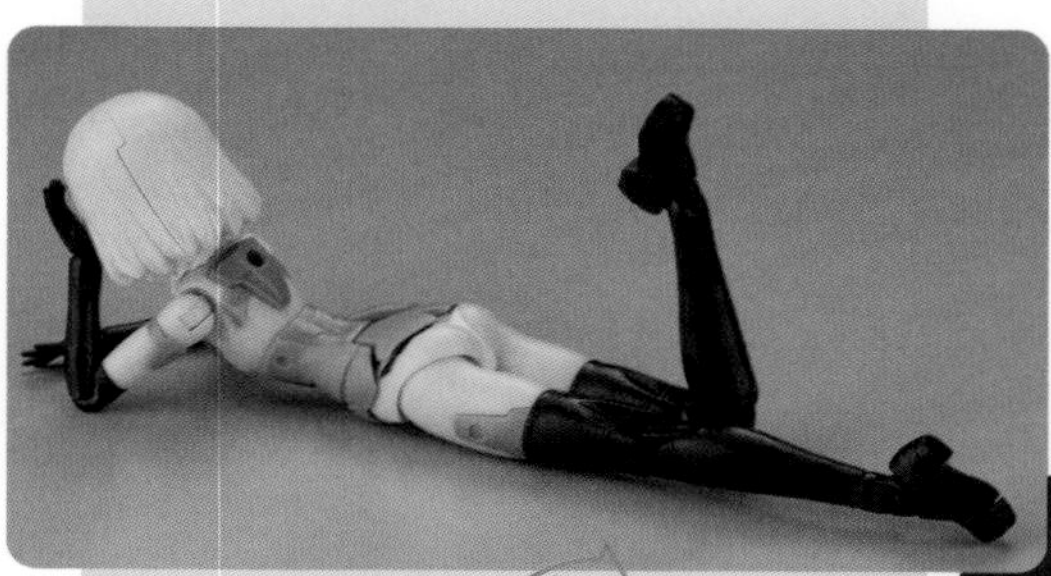

サ◯ットステージかよ！

▶じゃあ座りポーズの次は……寝そべりポーズと行きましょうか、と担当編集がやったのがこちら。仏像じゃねえんだからさ。なにより地面から浮いている部分が多すぎて、ふつうに疲れそうである。これではマテリアもリラックスできない

夢見る乙女。

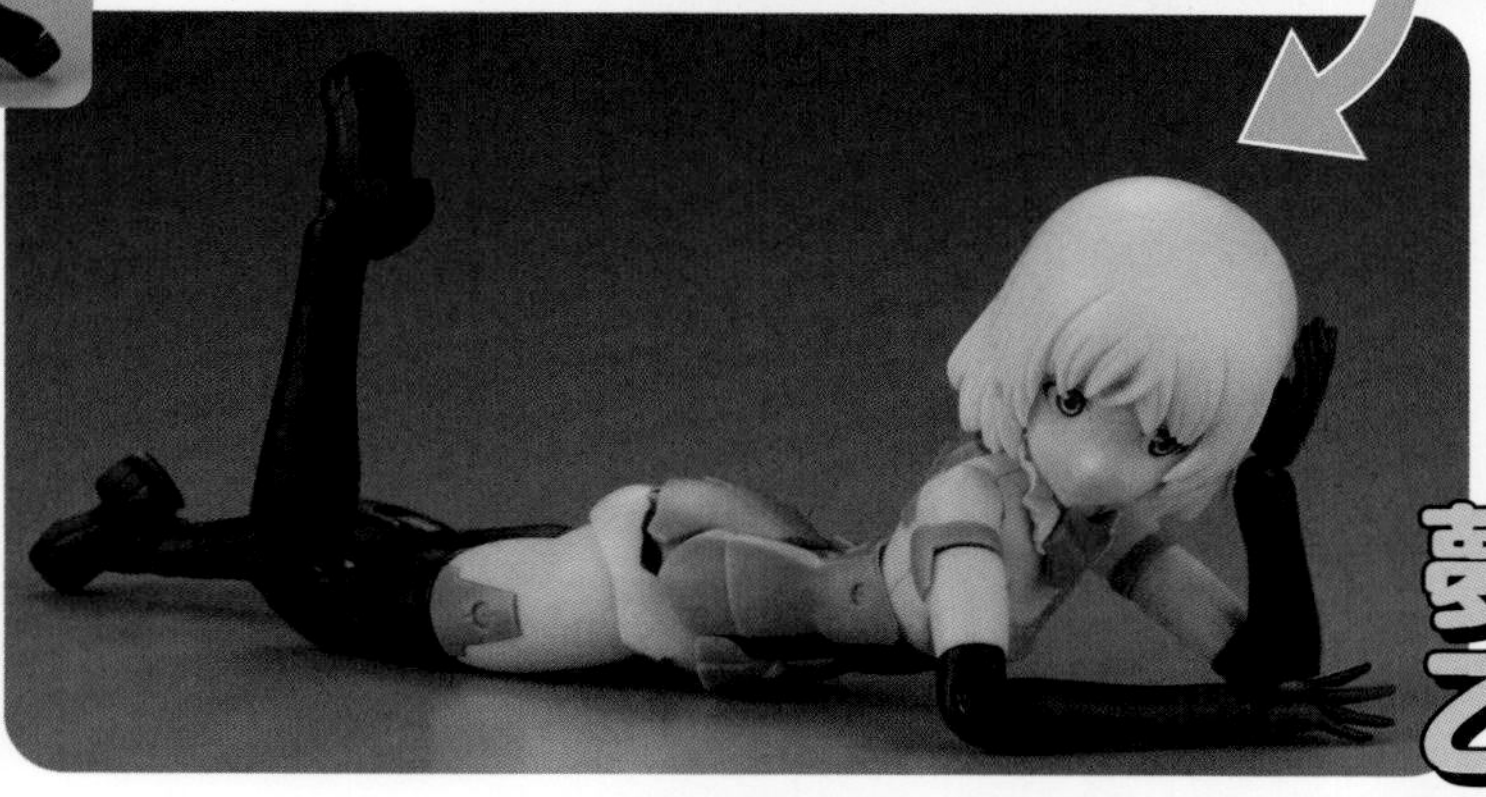

◀こちらはかなめ氏がポージングした寝そべりポーズ。まず接地面の多さがポイント。とてもリラックスしているように見える。パタパタとしているような脚や、視線をあえて外すことでなにか夢を見ているような、思索にふけっているようなテイストを醸し出すことに成功している

かなめ's point

●接地面をいかに自然に作るかがポイント。横向きや俯せで、上半身＆頭、肘や膝のどこが接地するか実際にポーズして確認するといいでしょう。さらに片足を上げたり、身体をホンの気持ち捻ると変化が出ますよ。ときどき真横から見て、床と不自然な隙間がないか確認するのも大事です。雑誌のグラビア写真などに多いポーズなので、関節の向きなどを気にして観察するのも勉強になります

lecture4：振り返りポーズ

悪くないのでは？

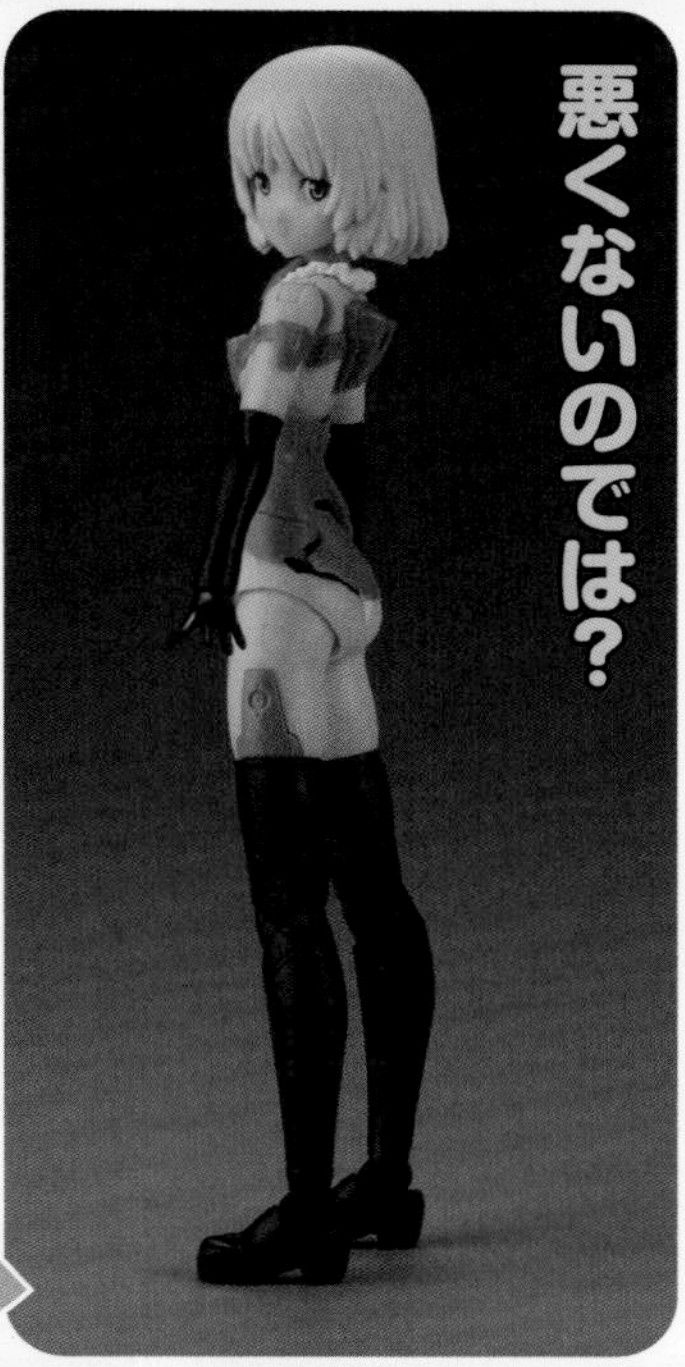

▶菱川師宣の『見返り美人』に代表されるように、日本男児は古来より「ふり返る女性」という女の子が好きなもの。というわけで「こっちを振り向いてくれるマテリア」というテーマで担当編集がポージング。まだ若干の硬さが見えるが、案外悪くないのではないだろうか？　ふとこちらを見てくれた、みたいな情景が想像できる

圧倒的にかわいい

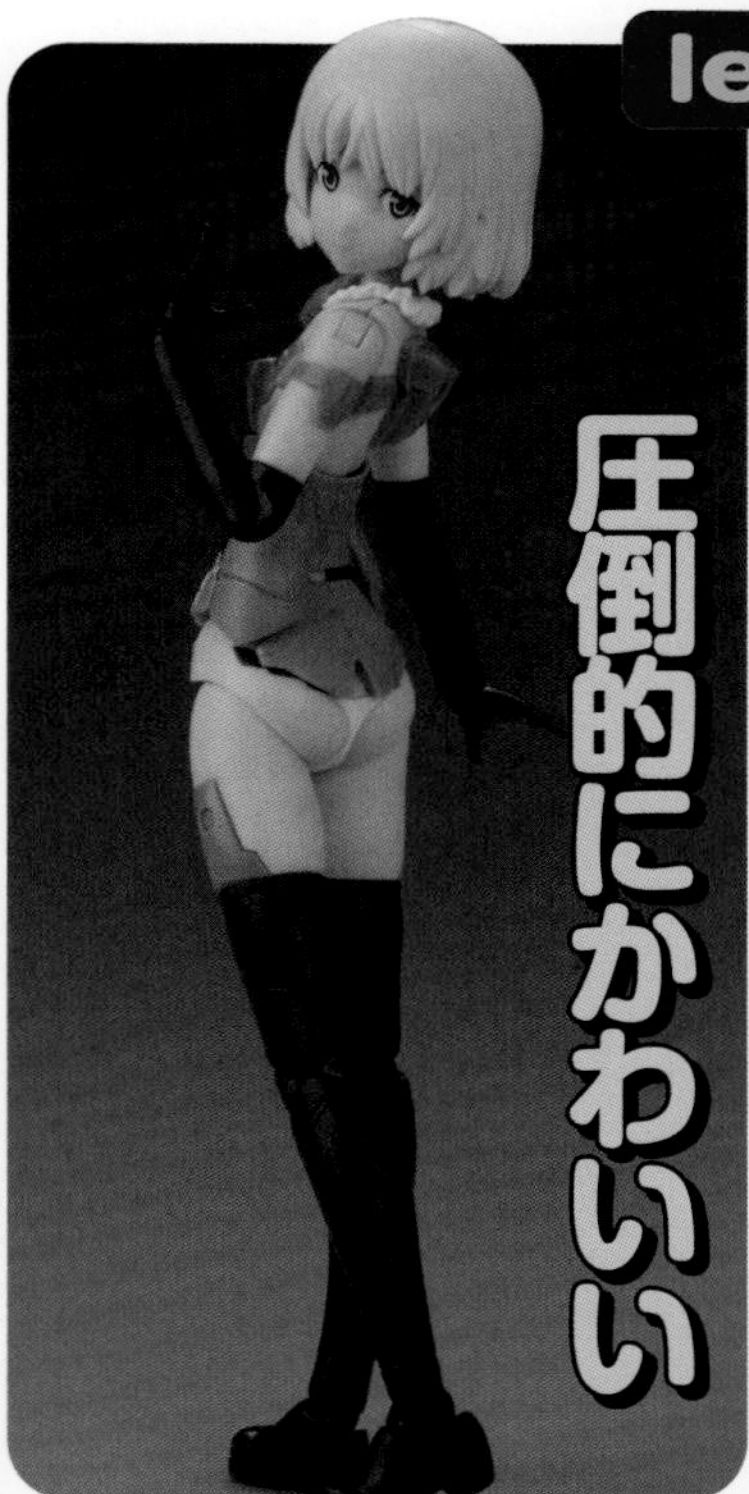

◀対してかなめ氏がとらせた振り返りポーズがこちら。やはり全体的にS字を描き、各部が女性的な丸みを帯びたラインになっているのは圧倒的にかわいい！　首だけでなく、全身の関節を用いて振り返っているのも有機的なポージングをするポイント。左足のカカトが少し上がっている演技にも注目されたし

かなめ's point

●首をこちらに向けただけだと、女の子らしい感情が伝わらず硬い印象ですよね。シチュエーションによりますが、可愛くさせたいなら足から頭まで段階的に捻ってこちらを向かせるとよいでしょう（凜々しくしたいなら敢えて顔だけ向かせるのもアリ）。ここでも立ちポーズで解説したSの字を意識して、各パーツが少しずつ違う角度と向きになるようにすると自然になります

心のなかに美少女を飼え!!

▶ほかにもアクションポーズをとらせたいなら、ハンドガンなどの手持ち武器は方向性が決めやすいお手軽な小道具。スタンドは倒れないよう気を遣わなくていいので、ポーズが硬くなりがちな人は積極的に活用しましょう

◀2人同時にポージングするのもドラマが生まれる良い方法。目線を合わせるのか外すのか、または同じ対象を見ているのか……などを意識すると第三者に設定が伝わりやすくなります

●最後に、撮影前提のポージングなら、片方の目を閉じてポーズを付ける癖をつけましょう。人は両目で見ているとき、無意識に奥行きや立体感を左右で補正しながら見ています。片目だとポーズを平面的に見るようになるので、撮影時のアングルが悩まずに決まりますよ。大人しいとか勝ち気とか、どんな性格の子なのか。目線の先にいるのは愛するマスターなのか、倒すべき好敵手なのか……。イメージを具体化する時に約束事を意識すれば可愛いポージングができ、SNSに画像をアップする楽しさも格段にアップしますよ！（文／白虎かなめ）

フレームアームズ・ガール　レティシア改造作例

斉天大聖
ゴクーティア

ファジーは改造を施した「フレームアームズ・ガール レティシア」を持参して、編集部での打ち合わせに臨んでいた。この改造レティシアは角や羽、尻尾を付け足し、小悪魔風に改造したもの。「無邪気可愛いレティシアをあえて悪堕ちさせてやったぜ……」とファジーはドヤ顔を隠せずにいた。「これはもうドッカンドッカンウケるに違いねぇ」、そう確信していたことだろう。ところがどうだろうか、編集は悪魔っ娘成分にはあまり触れず、「じゃあ方向性はこんなカンジで好きにしてください。こちらとしてのオーダーは一点、胸パーツをより人体風に寄せる方向でお願いします、それじゃまた来週」とひとこと。そして完成の報せを受けた編集は仰天。えっ、打ち合わせのときとカタチ違うよ？　でもかわいいからいいか！

フレームアームズ・ガール レティシア
コトブキヤ　ノンスケール
インジェクションプラスチックキット
発売中　税込5280円（税別4800円）

ギガンティックアームズ01 パワードガーディアン
コトブキヤ　ノンスケール
インジェクションプラスチックキット
発売中　税込5280円（税別4800円）

製作・文／ファジー

背景＝『西遊記』／第五十二回「悟空大鬧金兜洞如來暗示主人公」より

FRAME ARMS GIRL
"Seitentaisei" Goku-tia
FRAME ARMS GIRL LAETITIA
KOTOBUKIYA
Non-scale Injection-plastic kit besed.
Modeled and described by FUZZY

途中写真は悪魔っ娘だったのに！

▶打ち合わせの当初は装飾が少なくスッキリとした小悪魔ガールでした。その証拠写真がこちら！　うーん、この改造作例もカワイイので、もう一体製作してもらいたいところですね。どうですか、ファジーさん

▼まだ荒削りの状態ながら、後ろ髪を左右に避けて何かを装備させようとしていた形跡が認められる

どうしてこうなった（かわいいけど）

▶ロングヘアとハイヒール、ボディコンシャス風の意匠の服である点を除いて一新されたチャイナ服ガールへ。もういい、止まれ！　という気持ちは届かず、このあと大型の武装パーツが追加されるのであった……

イメチェンしすぎじゃない!?

編集／打ち合わせのときに反応が薄かったからでしょうか、できあがった作例が想定していたものとは違っていて……。打ち合わせのときに見た悪魔っ娘、あの子は幻だったのでしょうか。

▼腹部に短冊状のプラ板を貼り付け瞬間接着剤で隙間を埋めてから整形し、裾を伸ばす

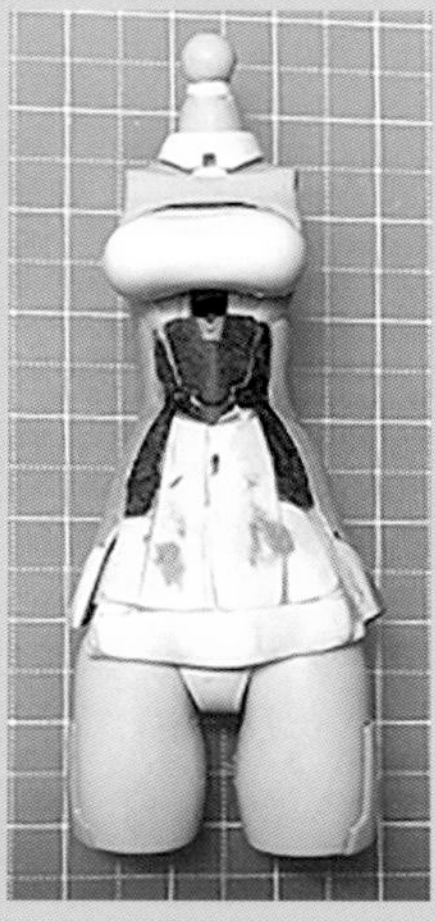

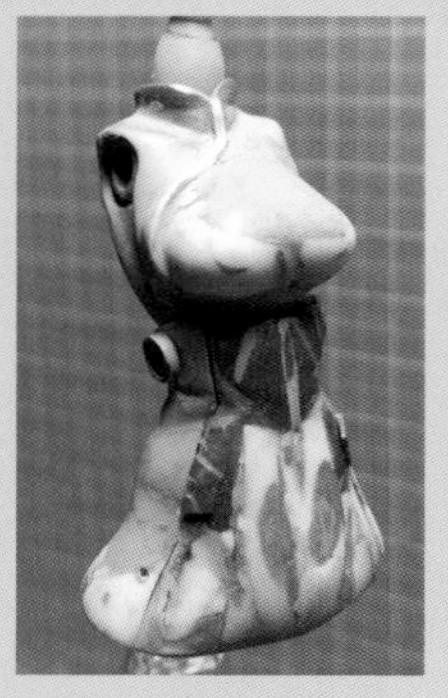

▶胸部の上部にエポキシパテを盛り付け胸のラインを整えた。腹部にはおヘソも彫刻されている

▼とくに前髪ブロックのボリュームが大幅に変更されている。すべて三角プラ棒による造形である

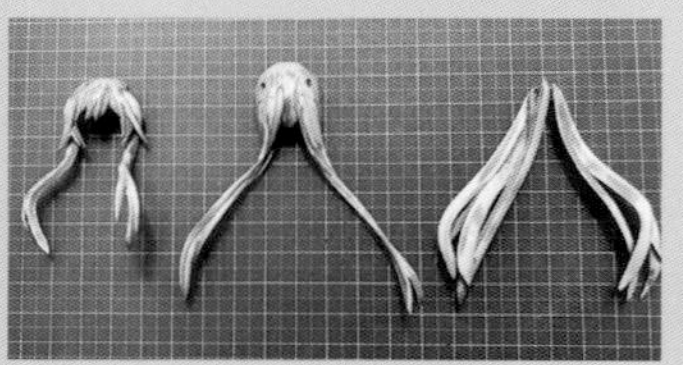

都内某所。ファジーは自らが改造を施した「フレームアームズ・ガール　レティシア」を持参して、編集部での打ち合わせに臨んでいた。この改造レティシアだが、角や羽、尻尾を付け足し、小悪魔風に改造したもので、ファジー自身も「無邪気可愛いレティシアを、あえて悪堕ちさせてやったぜ……」と内心ニヤニヤしながら編集のリアクションを待っていたが、編集の第一声は「うん、今回はレティシアの胸パーツをより人体風に、魅力的に見える方向で進めましょう！　そこさえクリアしてもらえればあとはもう、好きにしてもらっていいですから！」というものであった……。アレっ!?

というコトで、今回はレティシアの胸パーツを自分なりにカスタムしていく内に、気が付いたら悪魔娘がチャイナドレスの孫悟空になっていた、という作例です。レティシアといえば、大サイズの胸部パーツが付属しているので、今回はそちらを選択し、無邪気カワイイ系というより気持ちセクシー綺麗系の女の子に見えるようまとめました。そのためにも重視したのが、「鎖骨から乳房までの流れを自然に」「両乳房をブラジャーできちんと固定しているとわかる胸部の造形にすること」でした。レティシアは胸部パーツをアタッチメント的に本体に取り付けるため、鎖骨から乳房までの間に段差が生まれてしまうため、まずはこの段差を解消するためにエポキシパテでなだらかに調整。……だったのですが、これだけだと乳が垂れているというか長いというか……そこで、乳房がブラジャーによって〝寄せて持ち上げられている状態〟を作るべく、下乳、脇乳をやすりでガンガン削っていきました。最終的に胸のサイズは多少小さくなりましたが、より自然な胸のラインにできたと思います。

本来であればこの時点で編集からのお題はクリアできているので、このまま悪魔娘にすればよかったのですが、この胸のラインを活かすには……と考えた結果、「このお胸にはチャイナドレスが似合う！」と考え、急きょモチーフを変更、孫悟空になってもらいました。オラ、わくわくしてきたゾ！（編注・今後は先に連絡してください、頼みましたよファジーさん）

◆胸の造形に合わせて、腹部も改修

レティシアは腰部と腹部が色分けのために別パーツとなっているので、これを利用して腹筋パーツを作成しています。改修した胸パーツに合わせて、切り刻んだプラ板をつなぎ合わせるように接着。ぴったりと肉体にフィットしたチャイナドレスらしく見せるため、腹筋が割れている様子、あばら骨の隆起、へそ・下腹部・そけい部を造形しています。また、腹部パーツは通常用のもののほかに、裾がめくり上がったアクション用の物も用意しているため、ポージングに合わせて交換できます。

◆ロングヘアを三角プラ棒で作成

ヘアスタイルの改造ですが、三角プラ棒を使用してロングヘアーに改造しています。たなびく後ろ髪には量感が必要になると思い、5㎜の三角棒を使用しています。この三角棒を指で曲げて髪の流れを作り、たなびく様を表現しております。また、5㎜三角棒以外にも、3㎜、2㎜の物も使用し、髪が枝葉に別れている様も表現し、より〝らしく〟見えるようにしております。レティシアには髪専用の可動軸が設けられているので、このロングヘア後ろ髪も、アクションポーズなどに対応して可動するようになっております。

◆八重歯顔の口角を上げて、より笑顔に見えるように！

レティシアといえば、特徴的な八重歯が見える笑顔パーツですが、この表情パーツ、よく見ると口角が若干下がり気味で、笑顔の口元にも見えるし、叫んでいるようにも見える、実に不思議な造形をしています。なので、この口角をモデルナイフでほんの若干削り、より笑顔の口元に見えるように調整しております。余談ですが、ウィンクの目にはハートのデカールを、眉毛も付属の

アイデカールの眉だけ貼り直し、「困り眉なハート目」という若干ファンキーな表情となっております。

◆**大型のグラップルアームについて**

正直に書くと、最初はゴクーティア本体のみの製作だったのですが、ゴクーティアの塗装が8割終わったところで、「これはメカ要素もっと強くしたいじゃない！」と思い、納品一週間前に急きょ背部グラップルアームを新造しました。コトブキヤ「M.S.G ギガンティックアームズ01 パワードガーディアン」「M.S.G ヘヴィウェポンユニット16 オーバードマニピュレーター」を用いてミキシングビルドで製作しております。グラップルアームのモチーフはずばり、「ゴリラ」です。孫悟空→猿→ゴリラといったカンジで連想していき、最終的にゴリラのナックルウォークを彷彿とさせる独特のシェイプでまとめております。

また、カラーが全体的に金色なのも、様々な漫画・ゲームメディアで通説（？）となっている「めちゃくちゃ強い猿はだいたい金色」という法則にのっとっております。一部白面なのは、京劇の孫悟空の舞台化粧をモチーフにしております。（白塗りに赤い縁取り）また、グラップルアーム自体にもウェザリングを施しております。エッジ部分を中心に、240番の紙やすりをかけて、実際に塗装を禿げさせ、やすり後に馴染ませるようにタミヤ　ウェザリングマスター各種をのせてエイジングしております。（なぜメカ部分のみウェザリングしているかは後述）

◆**撮影ブースに収まりきらない超巨大な如意棒！**

納期ギリギリでグラップルアームを新造しても悪ノリは止まりません。この大型アームに持たせるための超巨大な如意棒も作成しました。ウェーブ製プラ=パイプ（外径7.0㎜）を、「M.S.G プラユニットP-145 ショートパイプ」を使用して接続。プラパイプを2本接続しているので、その全長は約500㎜にもなります。等倍でも見開きページに収まりきらないサイズになってしまったのは完全に誤算でしたね。ちなみにゴクーティア用の如意棒（小）も3㎜のプラ棒で作成しております。

◆**その他、こまかい部分の改修について**

・チャイナドレスの襟

こちらも、コトブキヤ　M・S・G ショートパイプを接着後、成型して作成しております。また、縁はエバーグリーンのプラ棒を貼りつけて作成しております。

・尻尾

孫悟空がモチーフの娘なので、もちろん尻尾をつけました。こちらも3㎜のプラ棒を火にかけてぐにゃっと曲げ、カーブを表現しております。また、一部切断して真ちゅう線を通し、ポージングに合わせてある程表情を付けられるようにしています。

◆**設定等**

『西遊記』で有名な孫悟空をモチーフに改造されたFAガールで、中国武術を踏襲した近接戦闘と如意棒を用いた棒術で戦う。モチーフが猿だからか、身軽がモットーで盾や剣、重火器などを装備したがらないが、自身の近接戦闘能力で撃ち砕けない敵に遭遇した場合、オーバードグラップルアーム「ユニット　セイテンタイセイ」を装備。巨大なグラップルアームによる乱打戦や、巨腕を活かした「巨人兵装　如意棒」を振り回すなど、とにかく力押しなバトルスタイルで戦う。

「ユニット　セイテンタイセイ」は、通常時はサポートメカ「キントクン」という従者ロボに変形。このキントクン、移動手段に用いられたり、あらゆる雑事に酷使されたり、ときには八つ当りされることに加え、グラップルアーム時のバトルスタイルも相まって、見た目はボロボロ、いたるところの塗装がハゲてしまっている。

本人は身綺麗にしているのに、グラップルアームだけ異様に風合いが出ているのはおもにこういった理由のためである。■

フレズ忍 バジリスク
コトブキヤ　ノンスケール
インジェクションプラスチックキット
「フレームアームズ・ガール フレズヴェルク
Bikini Armor Ver.」改造
発売中　税込5280円（税別4800円）

フレズ忍 バジリスク

フレームアームズ・ガール フレズヴェルク Bikini Armor Ver.改造

忍者ガール、いいよね。今回の作例は「フレズヴェルク Bikini Armor Ver.」を素材に、ミキシングビルドで忍者にしてみました。テーマは可動モデルにおける髪型のアレンジです。可動軸を仕込めないくらい細いもみあげ部分をどう可動させて攻略したのでしょうか!?

製作・文／ファジー

今回の改造元キットはこちら!

「フレームアームズ・ガール フレズヴェルク」のデザインを担当した駒都えーじ氏が、自らデザインアレンジを行なった「フレームアームズ・ガール フレズヴェルク Bikini Armor Ver.」。頭部と胴体のビキニは新規造形で、手足は既発売のフレズヴェルクと同じもの。前髪は両目が見えるものと片目が隠れる目隠れ状態のものが付属しているが、片目を隠した目隠れ前髪は、左右どちらの目を隠すか選べるように2種付属しているというこだわりっぷりが魅力のキットとなっている

●武装は手持ちのブレード二本だけというシンプルな構成で、手軽に組み立てられる

▼忍びなれども忍べないレベルのドハデなウイングは、普段はマフラー形態をとっている。翼のように展開すると、内部に隠されていたレーザー砲から石化光線を出せる、という設定とのこと。こうした設定遊びもうちの子ならではの魅力のひとつ

◀キットには二本付属するブレードを１本追加し、３本を組み合わせて製作した手裏剣。ブレードを３㎜のプラ棒で合体させるシンプルなものだが、手裏剣というだけで一気に忍者濃度が高くなる

▶本体の塗装が終わったあともこまかく調整を施したこだわりの前髪。アイプリントが隠れないよう、絶妙にかわいく見える長さを見極めるには時間がかかったという。こだわり抜いただけに、とてもかわいい

フレズ忍 バジリスク

フレームアームズ・ガール フレズヴェルク Bikini Armor Ver.改造

▶ポニーテールの接続部はフレームアームズ・ガールの手首に使われる極小サイズのPOM樹脂製関節を使用した。手首関節はさまざまなカラーで単体販売されているものなので、小さな関節パーツを作りたい場合は選択肢のひとつとして検討してみよう！

●マフラーのウィング部分はコトブキヤの「ギガンティックアームズ01 パワードガーディアン」を芯に、プラ板を加工した翼を取り付けて製作している。基礎となったルシファーズウイングの可動部や各部の３㎜穴を活用した変形ギミックが仕込まれており、マフラー形態からウイング形態へ変形するとボリューム感が一気に変わる

▼サイドヘアの位置の調節、接続方法の見直しをはかるとともに、頬にかかる髪の毛を削り取る、前髪の分け目を変える、前髪自体を短くカットするといった工作を施してイメージチェンジ！

試作はこんなカンジでした

▲可動性能は高いものの、スプリングが髪に巻き付いているように見える試作段階。サイドヘアの位置も顔から離れすぎており、不自然なカンジがするのでリテイクを敢行

フレズ忍 バジリスク

フレームアームズ・ガール フレズヴェルク Bikini Armor Ver.改造

サイドヘアをつくろう

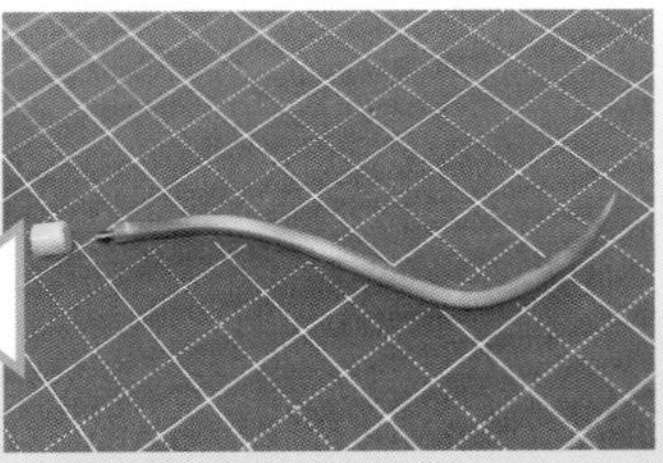

●接続方法を改め、筒状の髪留めでまとめている髪型に変更した。まずは先端を尖らせたプラ棒で、芯となる一本の髪の毛を製作

●芯となるプラ棒はウェーブのプラ＝材料【グレー】六角棒を使用している。芯を取り巻くようにタミヤ プラ材 2㎜三角棒を巻き付けながら接着して毛束を増やす

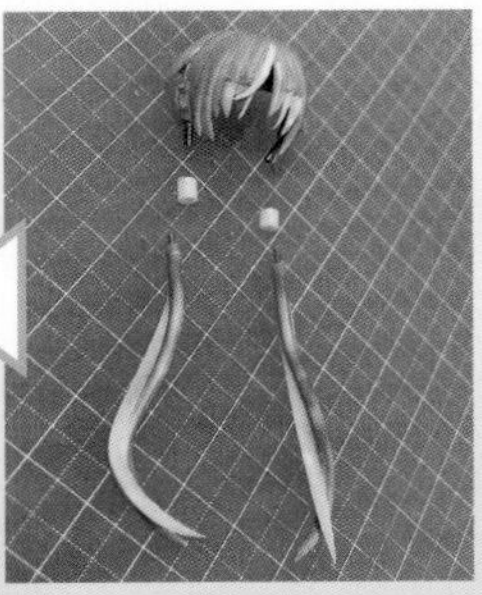

●サイドヘアの位置は解いたロングヘアをポニーテールにして、サイドヘアをヘアリングで束ねているものと想像し、頬に直接サイドヘアが触れる位置に調整した

●サイドヘアのヘアリングに1㎜の穴を開け、前髪に接着した外径1㎜のスプリングと接続している。ちなみに着脱が可能

前髪をいじってもっとかわいく

●えいや、とばかりにバッサリとニッパーでカット。前髪の工作と併せて、鉢金（ステロタイプな忍者のオデコについているやつ）を製作してみた

●前髪が好みの長さになるようにプラ板を接着。前髪をバッサリとカットしたのはプラ板の接着面積を確保するため。接着剤が硬化したらヤスリでかたちを整えていく

●整形を終えてみたところ、目が隠れてしまい、やや暗い印象に。超かわいいアイプリントなのに見えないのはもったいない、とせっかく増やした前髪を削ることを決断

●瞳が見えるようになり、グッと印象が明るくなった。このあともファジーのこだわりが牙を剥き、前髪の修正は本体の塗装が終わったあとも続くのであった

髪の流れを感じさせる後頭部へ

●ポニーテールを結っている後頭部の髪の流れも造形していく。内部の空洞が見える勢いでカットし、プラ板やパテで空洞を埋める

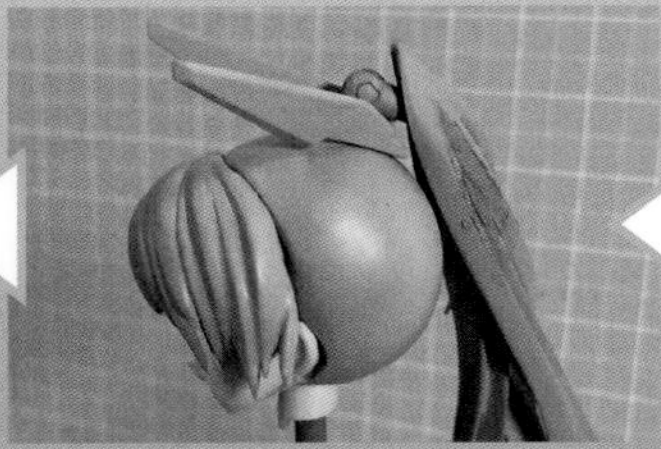

●自然な後頭部の形状になるまで、ときにはパテを盛り足しつつ、ひたすら削って後頭部を整形していく地道な作業だ

●前髪のディテールに合わせて、結い上げた部分へ流れていくような髪の流れを彫刻するのだが、そのまえに鉛筆で下書きをする

●下書きに沿って断面が三角形の金属ヤスリを当ててディテールを彫る。このとき前髪と解像度を合わせるように意識する

ショートヘアーの「フレズヴェルク Bikini Armor Ver.」（以下ビキニフレズ）をポニテに改造したのですが、最初は髪型だけ変える予定だったのに、気がついたら女忍者型になっていました。こんにちは、ファジーです。今回、ミキシングビルドは控えめに、髪型の改造をメイン工作としました。しょっぱなにしくじったので、反面教師にしていただければと思い、当時のやり取りを記していくことにします。

◆某日某所

編集（以下編） 次回作例の髪の毛ですが、サイドヘアっていうんですかね、あのもみあげの部分をスプリング接続で作れませんか？ ボールジョイントや可動式のジョイントを使うよりも、スプリング接続のほうがキレイにまとまると思うんです。

ファジー（以下フ） めっちゃナイスアイディアですねそれ。仮に強い力が加わっても、スプリングなら自動で逃げてくれるし。さっそくやってみます！

◆それから数日後

フ さっそくサイドヘアにスプリングを仕込みました！ いやー、見立てどおりですよ、首の動きに連動してサイドヘアが動いて楽しい～（ドヤァ）

編 ありがとうございます。いい試作です。

フ え？ 試作……？

編 え？ だって髪の毛がスプリング状になってる人ってメカ度が高すぎませんか。あと、ポニーテールの長さに対して、サイドヘアが短すぎです。髪をほどいたときにアンバランスになりそうです。

フ え？ ぁ、はい。

編 あと、サイドヘアが頬に触れてない、不自然な位置だな、と。こんな人いますか？

フ え、ぁ、はい。え、わかんないっす。

編 だから試作かな、と思って。

フ ぇ？ ぁ、はい。試作ですね。うん、試作です。はい。試作です。

……というやりとりがありました。この試作を経て、今回の作例がまとまりました。

NIN Basilisk

●今回の作例ではミキシングビルドを控えめにする試みもあり、武装は最低限に抑えている。写真左側がキットのままのブレードで、右側が改造したもの。キットに付属するブレードが備えている3㎜穴が柄尻にくるよう接着して、ブレード同士を組み合わせられるようなギミックを仕込んだ。3本接続した手裏剣風以外の形態でも遊べる

髪の毛の解説はページ上部にまとめてありますので、こちらでは髪の毛以外についての解説をしていきます。今回はミキシングビルドを控えめに、マフラー、左手アーマー、腿アーマーのみに絞っています。なので、これらのパーツを外すと、ほとんどビキニフレズそのままの姿が現れます。大型のマフラーを固定するための金属軸を胸元に刺している以外には、本体にはほとんど加工をしていません。

◆マフラーのミキシングビルド

このマフラーには、メガミデバイス 朱羅 忍者や、FAガール フレズヴェルクなどのパーツを使用しています。また、ウイング部分の基本フレームはギガンティックアームズに付属するものを使用しています。フレームから生えるウイング部分は八割がたプラ板工作で作成しています。もともと髪型のみの改造予定だったのですが、興が乗って作ってしまいました。

◆ベリルダガー

ビキニフレズに同梱されているブレードですが、持ち手の部分を組み替えるだけにとどめて、クナイのように持たせています。小道具で女忍者感を盛っています。また、これらのクナイが合体して手裏剣になるという、なんとも忍者チックなギミックも加えています。キットに付属するブレードは二本なので、再現したい方は追加のキットを買いましょう。

◆仕上げについて

女忍者風に改造しているので、おもな任務は潜入工作だったりするはず、ということは、狭いところに入り込んだりしますよね、それならアーマーなんかはこすれや削ればかりで、常にキレイということはないはず……！　と空想して、アーマー部分は塗装後に240番の紙ヤスリを軽くかけ、削った箇所にタミヤ ウェザリングマスターのシルバーを擦り込んでいます。今月号の特集とは違ったアプローチですが、こういう仕上げもおもしろいですよ。■

機体名について●「フレズヴェルク=神鳥の改造バリエーションということで、鳥のモンスターである「バジリスク」と名付けています。また、"忍者"と書いて"バジリスク"と読む風習が日本にはあるみたいですね、今回の作例にピッタリですよね。え？　読まないんですか?」（ファジー）

プラスチックな女の子

Model Graphix presents

How to get along with Plastic-model Girls

フレームアームズ・ガール編

COVER ILLUST●
原画　北川大輔
仕上　Assez Finaud Fabric.
特効・撮影　レアトリック
背景　スタジオ天神

編集●モデルグラフィックス編集部
撮影●ENTANIYA、KON(figuephoto)
装丁●丹羽和夫(九六式艦上デザイン)
レイアウト●横川 隆(九六式艦上デザイン)
丹羽和夫(九六式艦上デザイン)
SPECIAL THANKS●株式会社 壽屋

プラスチックな女の子
フレームアームズ・ガール編

発行日　2021年5月30日　初版第1刷

発行人／小川光二
発行所／株式会社 大日本絵画
〒101-0054 東京都千代田区神田錦町1丁目7番地
URL; http://www.kaiga.co.jp

編集人／市村 弘
企画・編集／株式会社アートボックス
〒101-0054 東京都千代田区神田錦町1丁目7番地
錦町一丁目ビル4階
URL; http://www.modelkasten.com/

印刷／大日本印刷株式会社
製本／株式会社ブロケード

内容に関する問い合わせ先：03(6820)7000 ㈱アートボックス
販売に関する問い合わせ先：03(3294)7861 ㈱大日本絵画

Publisher/Dainippon Kaiga Co., Ltd.
Kanda Nishiki-cho 1-7, Chiyoda-ku, Tokyo 101-0054 Japan
Phone 03-3294-7861
Dainippon Kaiga URL; http://www.kaiga.co.jp
Editor/Artbox Co., Ltd.
Nishiki-cho 1-chome bldg., 4th Floor, Kanda
Nishiki-cho 1-7, Chiyoda-ku, Tokyo 101-0054 Japan
Phone 03-6820-7000
Artbox URL; http://www.modelkasten.com/

ISBN978-4-499-23313-2